D0453533

Binder, Petra
    Gimnasia para la memoria / Petra Binder; traductor Roberto Pinzón. --
Bogotá: Panamericana
Editorial, 2011.
    132 p.; 23 cm.
    Título original: Kopftraining.

    ISBN 978-958-30-3786-3

    1. Memoria 2. Desarrollo de la memoria 3. Desarrollo del
cerebro I. Pinzón, Roberto, tr. II. Tít.

153.1522 cd 21 ed.
A1270432
        CEP-Banco de la República-Biblioteca Luis Ángel Arango

Petra Binder

GIMNASIA PARA LA MEMORIA

**Saque su cerebro a pasear
¡hágalo funcionar!**

PANAMERICANA
EDITORIAL
Colombia • México • Perú

Agradecimiento
Quiero agradecer a la Federación Austríaca de Gimnasia Mental, Cognitiva
y Mnemotécnica por un grato trabajo en equipo.

Petra Binder.

Cuarta reimpresión, junio de 2016
Primera edición en Panamericana Editorial Ltda.,
julio de 2011
Traducido del original en alemán: *Kopftraining. So bringen
Sie Ihr Gehirn in Schwrung*
© 2007 por Verlag des osterreichischen Kneippbundes
GmbH, Leoben
© 2011 Panamericana Editorial Ltda.,
de la versión en español
Calle 12 No. 34-30, Tel.: (57 1) 3649000
Fax: (57 1) 2373805
www.panamericanaeditorial.com
Tienda virtual: www.panamericana.com.co
Bogotá D. C., Colombia

Editor
Panamericana Editorial Ltda.
Traducción
Julio Roberto Pinzón
Diagramación
Yolanda Cardozo
Diseño de carátula
Diego Martínez Celis
Imagen carátula
© Fotolia - Psdesing 1
Fotografías páginas interiores
Pixland: 8; Imagesource: 10, 12, 24, 44, 64, 79, 84,
94; MEV: 19, 52; Creativ Collection: 34, 37, 38, 59, 74;
Fotolia: 35; iStockphoto: 37, 51; Photo Alto: 81

ISBN 978-958-30-3786-3

Impreso por Panamericana Formas e Impresos S. A.
Calle 65 No. 95-28, Tels.: (57 1) 4302110 - 4300355
Fax: (57 1) 2763008
Bogotá D. C., Colombia
Quien solo actúa como impresor.
Impreso en Colombia - *Printed in Colombia*

Contenido

INTRODUCCIÓN 8

La memoria y la edad 10

LA CREACIÓN DEL AMBIENTE ADECUADO 12

Las condiciones adecuadas 13

Lo primero es la voluntad 13

La actitud adecuada 13

El interés 13

La atención 14

Las metas 15

La motivación 16

La fuente de energía 17

El pensamiento positivo 17

El entorno adecuado 18

La creación de un oasis
de bienestar 18

No pierda la perspectiva 18

Elimine las molestias
evitables 18

Una silla confortable
y ergonómica 18

Luz y aire suficientes 18

Bloque de ejercicios 1 19

LA CONCENTRACIÓN 24

Factores que garantizan una buena
concentración 26

Etapas personales
de la concentración 26

Duración de la capacidad
de concentración 27

La concentración fluctúa entre el
comienzo y el final de una etapa 27

Dificultades para concentrarse 28

La distracción 28

Desviaciones de la atención 28

La preocupación 28

El exceso de estímulos 28

El exceso de trabajo
o la sobrecarga de obligaciones 28

El malestar físico 28

El malestar psíquico 29

La monotonía, el aburrimiento,
las tareas poco exigentes 29

Bloque de ejercicios 2 30

¿CÓMO FUNCIONA NUESTRA MEMORIA? 34

El "filtro" protector: el guardián 36

Bloque de ejercicios 3 38

PERCEPCIÓN: LA MEMORIA DE ULTRACORTO PLAZO 44

¿Cómo ejercitar la memoria
de ultracorto plazo? 46

Percepción acústica: el oído 46

Percepción visual: la vista 46

Percepción olfativa: el olfato 47

Percepción gustativa: el gusto 47

Percepción táctil: el tacto 47

Bloque de ejercicios 4 48

CODIFICACIÓN: LA MEMORIA DE CORTO PLAZO 52

El tiempo de permanencia de la información es breve 53

La memoria de corto plazo es muy propensa a fallar 53

Memoria con capacidad de almacenamiento limitada 54

Transferencia de información en la memoria de largo plazo 54

La concentración 54

La repetición 54

Acopiar, ordenar, sistematizar, estructurar 54

La elaboración 57

La motivación 57

Bloque de ejercicios 5 59

DECODIFICACIÓN: LA MEMORIA DE LARGO PLAZO 64

Organización de la memoria de largo plazo 66

Memoria inconsciente 66

Memoria consciente 66

Recuperación de información almacenada en la memoria 67

Bloque de ejercicios 6 69

¿POR QUÉ OLVIDAMOS? 74

El colapso de la memoria 75

Tres causas del olvido 75

La distracción 76

El olvido por interferencia 76

Los recuerdos desfigurados 76

La represión de recuerdos 76

Las drogas, los medicamentos y el alcohol 76

La enfermedad 77

Cosas que retenemos 77

Cosas que olvidamos rápidamente ... 77

La curva del olvido según Ebbinghaus 77

Bloque de ejercicios 7 79

RELAJACIÓN Y ACTIVIDAD 84

¿Cuánta relajación necesita una persona? 86

Viaje en sueños 87

Ejercicios fáciles para la columna vertebral 87

El Foot-Power 87

Junte las manos para romper bloqueos mentales 88

El palmeo 88

Ejercicio respiratorio 88

Viaje por su cuerpo 89

El ocho acostado 89

Bloque de ejercicios 8 90

CONSEJOS PARA TODOS LOS DÍAS 94

Organice su cotidianidad 95

Haga listas 95
Memorice conscientemente
secuencias 95
Mantenga el orden 96

Consideraciones finales 96

Bloque de ejercicios 9 97

Bloque de ejercicios 10 101

Bloque de ejercicios 11 105

SOLUCIONES 111

BIBLIOGRAFÍA 129

Introducción

La memoria se pierde cuando no se ejercita

Marco Tulio Cicerón

¿Se preocupa usted de veras cuando el nombre de un viejo conocido no acude a su memoria o cuando no tiene la menor idea de dónde ha dejado los anteojos?

Cuando no nos funciona la memoria somos, con frecuencia, objeto de risas y burlas, o se nos considera tontos. Vienen entonces frases como "La vejez llega sin ruido", "Saludos al Sr. Alzheimer" o "Qué le vamos a hacer: de que envejecemos, envejecemos".

Mucha gente cree —sobre todo, entre los mayores— que no puede hacerse nada contra el deterioro intelectual que trae la edad. Pero no es cierto. ¡No desconfíe tanto de su memoria!

¡Pero, ojo, nada viene de la nada! ¡La sabiduría no se adquiere comiendo!

Lo que le corresponde a nuestra materia gris es tomar literalmente la palabra "gimnasia". Al fin y al cabo, nuestro cerebro trabaja como un músculo y, cuanto más se le entrene y se le exija, más rendirá. Sin embargo, para mantenerse intelectualmente en forma, por mucho tiempo, se requiere de algo más: un entrenamiento regular.

Ya sea para la activación de sus funciones o para la prevención, la terapia o la rehabilitación de trastornos del rendimiento cerebral, entre cinco y diez minutos al día bastan y constituyen una importante medida para conservar la salud mental. Pues tenga en cuenta que la gimnasia de la memoria es tan importante como la del cuerpo.

Quien entrena su cerebro con regularidad no solo se vuelve más inteligente sino que mejora su capacidad de concentración y previene la falta de memoria.

A diario, le exigimos a nuestro cerebro un rendimiento máximo. Trabajar horas y horas sin que la atención flaquee, interconectar pensamientos e identificar conexiones nítidamente: a menudo damos por sentadas estas capacidades. Sin embargo, ¿qué le damos en realidad a nuestro órgano del pensamiento para considerarlo a la altura de tan fuertes exigencias? En general, absolutamente nada.

No obstante, unos cuantos minutos al día bastan para aumentar el rendimiento intelectual y también para seguir estando mentalmente en forma, a una edad avanzada. Pero el entrenamiento de nuestra "materia gris" no se limita, en ningún caso, a la tozuda memorización de columnas de números ni a resolver complicados acertijos.

Tampoco se trata de encontrar soluciones lo más rápido posible, sino de cuestionar, reflexionar, decidir, considerar diversos puntos de vista, estar al tanto de lo novedoso, interrogar lo ya conocido y mirar con nuevos ojos lo habitual.

Mejor dicho, el logro de una buena memoria es resultado de la interacción entre:

- Una alimentación balanceada.
- El ejercicio físico.
- Un riego sanguíneo óptimo.
- Un entrenamiento regular de la memoria.
- Un buen equilibrio mental.

La memoria y la edad

Con la edad se nota a menudo cierto menoscabo intelectual. En el mejor de los casos solo perduran las habilidades verbales y algo del entendimiento. Por otra parte, es probable que la memoria visual se debilite, los procesos mentales se hagan más lentos y el rango de la atención se reduzca. Se tienen dificultades para grabar información nueva.

A los adultos mayores les incomoda que se les afane o que se les exijan cosas complejas. Asimismo, como parte de los cambios que acarrea la vejez, la velocidad de asimilación de información se ve disminuida.

En la capacidad de concentración también influyen otros factores de interferencia, como oír o ver mal, por ejemplo.

El deterioro intelectual forma parte del proceso normal de envejecimiento y es distinto para cada persona.

Sin embargo, a una edad avanzada también se puede influir mucho en la capacidad de la memoria, pues las diferencias de rendimiento entre personas mayores son muy amplias.

No hay límite de edad para emprender la gimnasia cerebral; pero, desde luego, cuanto más temprano se haga, mucho mejor.

El cerebro es susceptible de entrenarse como un músculo, y las condiciones propicias al aprendizaje perduran hasta una edad avanzada. La muerte de células cerebrales no es la causa de que se debilite la memoria sino, con frecuencia, la falta de actividad intelectual.

No es tampoco que el cerebro pierda capacidad de almacenamiento con la edad, sino que dicha capacidad se utiliza muy poco por falta de una gimnasia cerebral adecuada.

Cuando alguien pregunta cómo puede mejorar su memoria, es bastante difícil responderle.

La noción de "memoria" abarca muchos procesos diferentes. Resulta prometedor descubrir cómo puede mejorarse el funcionamiento de cada etapa individual del proceso de memorización.

¿Sabe qué significa TDMPV?

¡Trastorno deficitario de la memoria provocado por la vejez!

Así sucede:

Usted decide lavar su automóvil. Cuando va a salir de la casa alcanza a ver el correo sobre la mesa. Bueno, usted va a lavar el auto pero primero se cerciorará de quién le ha escrito.

Deja la llave sobre el escritorio, descarta la correspondencia que no le interesa y comprueba que el cesto de basura está lleno. Va a guardar en el escritorio las facturas y los extractos y a desocupar el cesto de basura, pero, como la gaveta ya está abierta, se da cuenta de que podría aprovechar y diligenciar el formato para el pago de facturas.

¿Dónde está la chequera? ¡Vaya! Solo queda un cheque. Los cheques de reserva están en la segunda gaveta del escritorio.

¡Ah!, pero sobre el escritorio hay un vaso de jugo que le gustaría beber ahora mismo. Usted va a buscar los cheques. Pero primero debe poner el vaso a un lado, pues está demasiado cerca del computador. ¡Ay!, pero habrá que meter el jugo al refrigerador porque ya está tibio.

Usted se dirige a la cocina y se percata de que las plantas necesitan riego. Coloca el vaso de jugo sobre el mesón y —¡yujuuu!— ¡he allí los anteojos! ¡Ha estado buscándolos toda la mañana! Lo mejor será guardarlos inmediatamente. Usted llena de agua una jarra y se aproxima a las sedientas plantas.

Alguien ha dejado el control remoto en la cocina. Usted ha estado buscándolo, pues

quería ver televisión. Lo más pronto posible lo llevará al lugar que le corresponde.

Usted riega un poco las plantas —y moja ligeramente el piso, que sin falta deberá secar pronto—, arroja el control remoto sobre el sillón y se acerca a la puerta de la casa, ¡todo el tiempo pensando en qué era lo que quería hacer realmente!

Al terminar el día: el automóvil sigue sucio, las facturas siguen sin pagar, el vaso de jugo sigue sobre el mesón de la cocina y las plantas no han recibido suficiente agua para sobrevivir. En la chequera sigue habiendo un único cheque, y ahora usted no encuentra las llaves del auto.

Está claro para usted que en todo el día no ha concluido absolutamente nada. Y esto le sorprende, ¡pues ha estado ocupadísimo todo el día!

Comprobará que el TDMPV es una enfermedad muy grave y problemática. Si no lo cree, busque en Internet algo al respecto.

Pero primero consulte si alguien le ha escrito un correo electrónico…: es un círculo vicioso.

¡Conque basta de pensar en muchas cosas a la vez!

La creación del ambiente adecuado

> "Todos recibimos un cerebro por el camino; nadie, el manual de instrucciones para utilizarlo"
>
> Manfred Hinrich, filósofo

El cerebro humano pesa 1.245 gramos (mujeres) y 1.375 gramos (hombres). No hay relación alguna entre tamaño e inteligencia. Todos contamos con entre treinta mil y cien mil millones de neuronas. Conectadas una al lado de otra, se extenderían a una distancia de cien mil kilómetros, que corresponden aproximadamente a un cuarto de la distancia entre la Tierra y la Luna.

Nuestro cerebro está instalado como una gigantesca red, y las posibilidades de combinación de las neuronas exceden el número de estrellas del universo. Cada neurona está conectada con hasta otras diez mil e intercambia impulsos eléctricos con ellas. Resulta, pues, decisivo qué neuronas emiten impulsos eléctricos en común cuando pensamos en una cosa determinada, la llevamos a cabo o aprendemos algo nuevo. Por tanto, un ingreso definido de información se refleja en un patrón de activación preciso de la red neuronal. Con cien mil millones de neuronas, cada una con diez mil conexiones, son posibles innumerables patrones distintos. Siempre podemos aprender cosas nuevas sin perder por ello lo ya aprendido.

El cerebro

- Constituye 2% del peso corporal.
- Consume 20% de los productos del metabolismo.
- Consume 40% de los requerimientos de oxígeno del cuerpo.

Una persona pierde al día entre mil y diez mil neuronas. Si todos los días se per-

dieran diez mil neuronas, al cumplir 410 años uno solo habría perdido 10% del cerebro.

Así pues, cree las mejores condiciones para que su cerebro trabaje con la máxima efectividad y se dará cuenta de hasta qué punto ha subestimado a su órgano de las maravillas.

Las condiciones adecuadas

Lo primero es la voluntad

El querer constituye todo nuestro problema. Derrotar al pelele que todos llevamos dentro resulta con frecuencia muy difícil. Con seguridad usted habrá notado repetidamente cuán difícil es recordar información nueva —es decir, aprender algo— cuando se está convencido de que es demasiado complicada para uno.

Por ejemplo, si usted cree tener mala memoria para los números, jamás recordará un número telefónico. O, cuando se le presenta alguien de nombre poco común y que suena a extranjero, tal vez se convenza de que jamás retendrá correctamente ese nombre.

La actitud adecuada

Yo puedo captar eso y puedo recordarlo.

La actitud es una condición fundamental para que uno esté en capacidad de almacenar y recuperar información con éxito.

El interés

El deseo de recordar se deriva del interés, del deseo de participar de algo y de nuestras prioridades. Escogemos activamente lo que queremos recordar y hacemos a un lado las cosas que no nos interesan.

Quizá usted se sienta superado por todas las funciones que ostenta su nuevo teléfono móvil, puesto que realmente "solo" desea llamar. ¿Por qué estudiar, entonces, el manual de instrucciones? Pero, por otra parte, le interesa escribir y enviar un breve mensaje de texto. Por eso vale la pena leer detalladamente las instrucciones, lo que le permitirá emplear dicha función.

Ejercicio

Los siguientes cinco ejemplos muestran situaciones en las que se debe recordar un nombre.

Ordénelos según la importancia que tengan para usted: en primer lugar, la situación más significativa y, en último, la menos importante.

1. El nombre de alguien que le debe a usted $300.000.
2. El nombre de un colega de su vecino.
3. El nombre de alguien a quien usted le debe $3.000.
4. El nombre de alguien que le transmite saludos de un conocido.
5. El nombre de alguien que le ha pedido prestado un libro.

El interés desempeña un papel trascendental en la asimilación y la retención de información porque determina el grado de atención prestada.

Es probable que una persona que le debe $300.000 o que ha tomado prestado uno de sus libros le interese a uno mucho más

que un colega de su vecino o que alguien a quien le debe $3.000.

La atención

Tan pronto como uno dirige la atención activamente hacia unas impresiones concretas, estas son captadas conscientemente y pueden transmitírseles a otros. Uno se concentra en ciertas cosas específicas y pasa otras por alto.

El uso simultáneo de varios órganos de los sentidos ayuda a captar mejor la información nueva y a dirigir la atención hacia ella.

La atención está determinada por:

Las experiencias y las predilecciones

Cuanto más experiencia y conocimiento haya uno adquirido previamente sobre un tema, más interconectada y diferenciadamente aprovechará cualquier información al respecto.

Es muy probable que quien practique la jardinería como pasatiempo recuerde qué plantas hay en su jardín.

Si a uno le gusta el café, es muy posible que sepa dónde conseguirlo. No obstante, si no es aficionado al teatro, lo más seguro es que no conozca la cartelera de funciones.

Las necesidades del momento

Los estímulos que individualmente no tienen significado son filtrados y hechos a un lado mientras que los que son significativos e interesantes para uno se asimilan con mayor intensidad.

Cuando uno tiene hambre, el olfato es muy sensible al aroma de la comida.

Las expectativas

Cuando espera visita, usted registra absolutamente todos los ruidos que se producen frente a su casa y que, en otro caso, pasarían inadvertidos.

Las metas

Para quien no sabe cuál es su meta no hay viento que sople en la dirección debida.

Con seguridad, uno puede ir de paseo o salir a callejear tranquilamente sin tener previsto destino alguno. Pero cuando se planea un viaje o un proyecto de envergadura es importante ponerse metas, caso en el cual, naturalmente, estas pueden ser de índole variable; por ejemplo, escolares, sociales, profesionales, privadas o materiales.

¿Por qué son tan importantes las metas?

Las metas ayudan a pensar y a actuar a largo plazo y además a mantener intactas la motivación y la constancia durante largos periodos.

¿Quién no sabe que el entusiasmo es intenso al comienzo de cualquier empresa y que el tema es absolutamente interesante, cautivador y motivante? No obstante, en toda actividad de largo aliento puede llegarse en cualquier momento a un punto "muerto" más allá del cual parece que no se puede avanzar, o solo supremamente despacio. Usted quiere darse por vencido y se pregunta si la meta a que aspira es de veras tan interesante. Surgen dudas. Se necesita entonces una nueva dosis de motivación: ¿qué puede modificar para volver a encontrar divertido el asunto?, ¿qué lo apasiona de su objetivo?, ¿mediante qué correcciones del rumbo puede evitar los obstáculos?, ¿quién o qué puede ayudarlo con esto?

¡Y vale la pena no rendirse!

Con un pensamiento y una acción orientados a metas preestablecidas resulta más fácil acometer y cumplir las respectivas tareas.

¿Qué ha sentido usted al alcanzar venturosamente una meta? Procure recordar una situación así. Probablemente, un acontecimiento así lo hizo sentir capaz de "mover montañas" y "abrazar el mundo". Estos sentimientos motivantes permiten resolver problemas con mayor facilidad siempre y cuando se tenga clara la meta.

Quien conoce la meta encuentra el camino.
(Lao Tsé)

Ejercicio

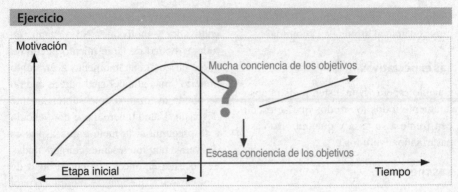

Fuente: Beck/Birkle, Der LernCoach 2004.

¿Cómo se alcanza una meta? ¡Visualizándola y formulándola! Cierre los ojos e imagine qué aspecto podría tener su objetivo. Represente en imágenes y también en palabras el resultado deseado.

Cuanto más claras y motivantes aparezcan las metas en su imaginación, más activa y enérgicamente podrá usted ejecutar su plan. Conviértase en un "visualizador" poniendo una y otra vez sus objetivos frente a los ojos de su imaginación para cargar la energía necesaria y así trabajar eficazmente.

¡Solo usted mismo puede proponerse sus propias metas! Estas se formularán afirmativamente porque el cerebro no sabe negarse. Además escríbalas en presente, sin reservas, en toda su concreción. La factibilidad dependerá del esfuerzo personal; y el logro, de la voluntad.

Póngase plazos para alcanzar sus metas.

Rumbo a la meta

Metas "volantes"

Póngase metas parciales que le permitan comprobar que avanza por el camino correcto.

Correcciones del rumbo

En lo posible, trate de superar, sin desviarse, los obstáculos que vayan surgiendo.

Confianza

Confíe en sus propias fuerzas y aptitudes.

Prioridades

No permita que cosas sin importancia lo desvíen de su camino a la meta.

Visualización

Represente repetidamente en su imaginación la meta propuesta.

Recompensas

¡No olvide recompensarse a sí mismo cada vez que supere una etapa! Celebre y saboree sus logros.

Diario de logros

Registre por escrito sus avances —los pequeños inclusive—, pues esto motiva e impide extraviarse.

La motivación

Los mejores planes y técnicas no le servirán de nada si usted no sabe qué desea lograr y por qué. La gimnasia neuronal solo tendrá éxito si se ejecuta con la respectiva motivación. A la fuerza no se logra nada; en cambio, todo es posible con entusiasmo, brío, vigilancia y afán de descubrimiento.

Una motivación es un estímulo interno para la acción humana y, lo es, por consiguiente, para el aprendizaje. Una persona motivada sale adelante en las más diversas situaciones. La motivación primigenia y más natural es, por supuesto, la curiosidad. El ansia de conocimiento de los niños pequeños es muy pronunciada. Ellos anhelan descubrir su mundo, indagan y hacen innumerables preguntas. Entre las motivaciones humanas están también las necesidades, los deseos, los valores y los intereses.

La fuente de energía

El pensamiento positivo

Un importante ingrediente del éxito, como sucede ante todos los retos de la vida, es la confianza en sí mismo. Quien cree en sí mismo es consciente de lo que está en capacidad de hacer; conoce su forma de actuar, sus sentimientos, sensaciones, intereses, deseos y metas, y su forma de pensar.

Mediante el pensamiento positivo, uno puede no solo visualizar cabalmente su meta sino también elevar su motivación.

Las vivencias exitosas acuden a la memoria, pues nada motiva tanto como saber por experiencia propia qué se puede hacer y cumplir. Las vivencias exitosas motivan

Características de las personas que piensan positivamente:

- Automotivación.
- Abundancia de ideas para acercarse a sus metas.
- Flexibilidad para emprender caminos alternativos hacia el éxito.
- Planificación efectiva y eficiente.
- Capacidad de dividir tareas grandes en subtareas menores.
- Iniciativa a pesar de las derrotas.
- Capacidad de reemplazar pensamientos negativos como: "¡No lo lograré!", por consignas como: "¡Yo puedo hacerlo! ¡Y puedo recordarlo".

a hacer cada vez más y mejor, a actuar de buen humor y a reducir el estrés.

Esta actitud se irradia y atrae lo que se encuentra en su entorno inmediato. Sin embargo, si surgen dudas y pensamientos negativos, la motivación decaerá consecuentemente.

No permita que esto llegue al punto de que usted pierda de vista su meta, dude de sí mismo e incluso, a lo mejor, eche su plan por la borda. Cuando sus motivaciones parezcan abandonarlo, practique el pequeño ejercicio de formulación y visualización de metas con base en logros parciales ya alcanzados.

La autovaloración aumenta, la autoconciencia se fortalece; en general, al obrar con éxito se experimenta un aumento de la actividad.

El entorno adecuado

La creación de un oasis de bienestar

Concentrarse en una tarea se facilita al máximo en un entorno agradable y relajado. Su ambiente de trabajo debe estar construido de tal forma que usted se sienta a sus anchas en él. A esto pueden contribuir cuadros, plantas, colores agradables y, naturalmente, el orden.

No pierda la perspectiva

Cuídese para no caer en el caos por exceso de actividades, pues solo es posible concentrarse en una labor a la vez. Por tanto, cultive el orden, si bien tampoco es necesario un exagerado amor a él.

Asimismo, todos los materiales necesarios para realizar la tarea deben estar al alcance de la mano.

Elimine las molestias evitables

Tras algo de reflexión es posible eliminar de antemano la mayoría de las cosas que estorban a la concentración. De todas maneras, un sitio de trabajo ordenado elimina muchas molestias.

También es conveniente que uno acuerde con su familia o sus amigos que mientras esté trabajando no se le moleste ni se haga ruido.

Una silla confortable y ergonómica

Para evitar dolores de espalda y de cabeza y otros daños indirectos, ¡no escatime usted a la hora de adquirir una buena silla! Su altura debe ser regulable, y el espaldar debe amoldarse a su espalda cuando se siente.

Luz y aire suficientes

Para mantener intacta la motivación es necesario, claro está, un suministro de luz suficiente. En un espacio iluminado no solo dan más ganas de trabajar sino que también es posible concentrarse mejor.

Si bien conviene que esté cerca de una ventana, el escritorio no debe quedar expuesto directamente a la luz solar.

Por otra parte, el oxígeno es un factor muy importante de la concentración.

Por ello, el aire debe entrar al recinto por aberturas dispuestas a distancias regulares mientras se trabaja.

Bloque de ejercicios 1

Percepción visual: imagen relajante

Contemple la imagen y déjese llevar por las sensaciones y demás efectos que surjan:

Acopio de ideas

¿Qué se conecta o enchufa? (Escriba las ideas o conceptos conforme vayan surgiendo en su mente; por ejemplo, estufa, radio…):

_____

_____

_____

_____

Orden del caos

Ordene por grupos los siguientes términos y asígnele a cada grupo un nombre genérico apropiado.

Por ejemplo: pícea, haya, abeto, aliso   **Coníferas**   **Árboles de fronda**

                                            Pícea, abeto   Haya, aliso

Ordene los términos en grupos lógicos: rubio, jovial, furioso, brincar, marrón, saltar, correr, contento, castaño, caminar, rojo, trotar, alegre, negro, andar.

_____   _____   _____

_____   _____   _____

_____   _____   _____

_____   _____   _____

Ejercicio 4

Ejercicio de memoria

Cubra la fila inferior.

Observe las imágenes de la fila superior, luego cúbrala y señale las diferencias entre ellas.

Ejercicio 5

Ejercicio de concentración: lectura en el espejo

Trate de leer el siguiente poema de Eugen Roth; para ello debe imaginar cómo se reflejaría en un espejo.

Por la flor

Un hombre cuida el ornamento de su cuarto,
un pequeño rosal, con avidez.
Lo riega todos los días sin cansarse,
ya lo saca a la luz, ya lo guarda a la sombra,
refresca a los caballos con frutas húmedas,
poda meticulosamente cada retoño.
Sin embargo se ha muerto lo que le era tan querido.

Es fácil captar la moraleja de esto:
¡hay que dejar crecer las cosas!

Encontrar palabras/anagrama: cuadrado de letras

Construya el mayor número posible de palabras con las letras del cuadrado.

A	I	O	F
A	C	R	A
A	C	E	B
I	I	D	T

_____

_____

_____

_____

Juegos de palabras complejos: varios significados

Una palabra puede tener varios significados. Halle un término que sintetice la paráfrasis dada.

Ejemplo: Unas veces es una vasija cilíndrica pequeña; otras, una embarcación sin cubierta. → Bote

1. Unas veces es una mascota; otras, una máquina para levantar grandes pesos.

   → _____

2. Unas veces crece en el cuerpo; otras es lo que hago con un banano antes de comerlo.

   →_____

3. Unas veces es un ser mitológico; otras nos ensordece por la calle.

   → _____

4. Unas veces da sabor; otras nos expulsa de la cocina.

   → _____

5. Unas veces es un signo zodiacal; otras, lo que pesa el arroz.

   → _____

6. Unas veces es delicioso; otras, millonario.

   → _____

Ejercicio 8

Encontrar palabras: disposición de las letras

A continuación se muestran únicamente la inicial y la última letra de una palabra. Encuentre palabras con sentido agregando letras entre ellas.

Ejemplo: B … N: botón, bien

Trate de completar las siguientes disposiciones de palabras:

A … E:

Alumbre, _____

_____

_____

R … L: _____

Ritual, _____

_____

_____

La concentración

❝ Aprenda a concentrarse para que se aproveche a sí mismo al máximo. No pierde nada. Quien tiene el todo tiene también la parte ❞

Narendaranath Datta

Junto al establecimiento de metas y la motivación, la concentración es una de las condiciones más importantes para tener buena memoria. Pues, ¿de qué le sirve a usted estar muy motivado y haber definido sus metas con absoluta claridad si su capacidad de concentrarse es muy pobre?

Para manejar un automóvil, consultar un mapa de carreteras, leer un libro, escuchar a alguien o reconocer a un amigo en una muchedumbre se necesita una atención dirigida e intencionada.

Solo cuando no se puede reunir esta concentración, uno se percata de cuán trabajoso es ocuparse de más cosas que las planeadas. Esto consume no solo más tiempo sino también más energía.

¿Le resulta conocida la siguiente situación? Usted llega a casa tras un largo y agotador día y se pone a ver las noticias por televisión.

Cuando más tarde le preguntan qué novedades hay y cómo estará el clima, se ve obligado a reconocer que solo recuerda unos pocos fragmentos del noticiario.

Todos hemos vivido situaciones semejantes. Sin embargo, estas no tienen que ver con una mala memoria, como equivocadamente creen muchos afectados, sino con la falta de concentración.

Mientras se encontraba sentado frente al televisor, usted tal vez seguía pensando en el trabajo.

Lo cierto es que no tenía puesta toda su concentración en las noticias. Esta falta de concentración es la culpable de que no las haya recordado, no la mala memoria.

Por medio de la concentración se aglutinan el interés, la atención y los pensamientos. Además así se orientan los pensamientos a un punto concreto, a un centro: se enfoca uno en algo. Al estar completamente enfocado no piensa uno que deba estar más atento o concentrado. Solo entonces estará en lo que está.

Pero en la cotidianidad uno se ve bombardeado de estímulos informacionales. ¿A quién puede extrañarle, entonces, que algunos pensamientos se desvíen?

Trátese de actos rutinarios que se cumplen distraídamente o de una silla incómoda para sentarse o de ruido en la habitación vecina… ¡Y de un momento a otro ya no se está concentrado!

La concentración es comparable al rayo de luz de un reflector, que ilumina muy intensamente un área pequeña. No obstante, los alrededores quedan a oscuras. Cuando alguien se concentra en algo, realmente no toma en consideración otras cosas. Ellas ni se perciben.

Esto se aclara con el siguiente ejemplo. Es probable que usted no pueda describir bien el tablero de su reloj. Pues, al mirar la hora, uno solo se concentra en las manecillas y excluye el resto del reloj. O, al sacar una moneda de quinientos pesos del monedero, uno se concentra exclusivamente en aquellas características de esta moneda que impiden confundirla con las de otra denominación. Los demás detalles no son importantes y se ignoran.

Esto demuestra que nuestra concentración funciona selectivamente y, por lo tanto, mientras registra algo muy concreto, descuida lo demás.

Ejercicio

Concéntrese durante un minuto en el punto negro.

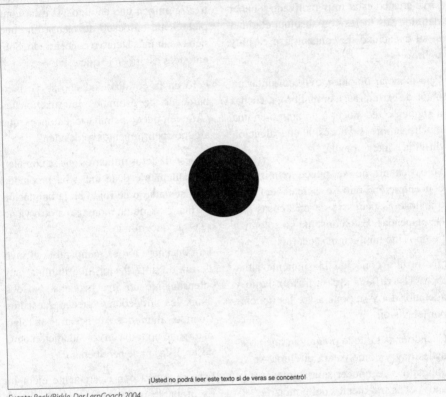

¡Usted no podrá leer este texto si de veras se concentró!

Fuente: Beck/Birkle, Der LernCoach 2004.

Sin embargo, no basta con enfocar la concentración en un punto. ¡No hay que olvidar el tiempo! Es preciso tener en cuenta también este factor, pues la mayoría de las veces es necesario concentrarse durante un rato largo en una sola cosa.

Una buena capacidad de concentración es la condición principal de una buena memoria, pues solo la información que uno recibe con atención plena tiene oportunidad de llegar a la memoria.

Factores que garantizan una buena concentración

Etapas personales de la concentración

Algunas personas de índole matutina están listas inmediatamente después del desayuno y pueden concentrarse de manera óptima desde muy temprano, mientras que otras solo pueden hacerlo avanzada la mañana. En cambio, las personas de índole vespertina vuelven a tener una etapa propicia más tarde y pueden trabajar concentradas hasta cerca de la medianoche. Este ritmo diario individual es más o menos constante para cada persona, siempre y cuando tenga una rutina relativamente regular. En el transcurso del día hay varias etapas en las que uno puede concentrarse óptimamente. Si usted no reconoce estos momentos, obsérvese a sí mismo e identifique sus picos de concentración.

Uno puede aprovechar estas etapas de actividad acometiendo en estos momentos tareas difíciles que requieran toda la concentración.

Duración de la capacidad de concentración

Hay personas que pueden concentrarse ininterrumpidamente durante dos horas y luego necesitan una larga pausa antes de reanudar el trabajo. Por el contrario, otras necesitan una breve pausa cada media hora para mantener la concentración en su máximo desempeño.

Indague la duración promedio de su concentración

a) Mirando la hora al empezar a trabajar.

b) Viendo qué hora es cuando se canse y su concentración disminuya.

Divida su trabajo de conformidad con esto. Trabajar por fuera de los periodos propicios resulta no solo muy fatigoso sino también ineficiente. A la postre se está propenso a cometer errores.

La concentración fluctúa entre el comienzo y el final de una etapa

Suponga que debe realizar tres trabajos, cada uno de los cuales emprende con diverso entusiasmo:

El trabajo A le gusta mucho, y su concentración surge por sí sola.

EL B le gusta medianamente, y su concentración en él no es tan fuerte como en el trabajo A.

El trabajo C no le agrada en absoluto.

¿En qué orden ejecutaría usted estas labores?

El orden correcto es B – C – A.

Para comenzar se necesita una etapa de calentamiento, puesto que la concentración aún no ha alcanzado su punto máximo. Emprenda, entonces, en este momento el trabajo B, para el que requiere una concentración mediana. Al terminar habrá calentado, y su concentración estará en el apogeo; es el momento de acometer C, tarea para la que necesitará la mayor concentración.

Al final, cuando su concentración mengüe otra vez, ocúpese en A, que tanto le gusta. No deberá fatigarse porque con la concentración que le queda podrá seguir adelante.

Sin embargo, una condición es que los tres trabajos no sean demasiado prolongados para no sobrepasar la duración de su concentración. Si este es el caso, intercale una pausa.

Dificultades para concentrarse

La distracción

Estar distraído significa no ser capaz de llevar a término una cosa. Usted quiere tomar una revista que está en la sala de la casa. En ese momento, su mirada se posa en la correspondencia sin abrir. La abre y olvida que tenía toda la intención de recoger la revista en la sala.

Desviaciones de la atención

Usted no puede concentrarse totalmente, por ejemplo, en una conversación porque otros pensamientos cruzan permanentemente su cabeza.

La preocupación

Usted no dura bien concentrado más de 15 minutos y debe pararse cada 10-15 minutos a hacer otra cosa.

El exceso de estímulos

Estímulos externos como el teléfono, el tráfico automotor o el ruido de una construcción son fuentes de perturbación que ocurren frecuentemente y que pueden ir en detrimento de la capacidad de concentración, razón por la cual el teléfono móvil se ha convertido en el enemigo número uno de esta.

Especialmente afectadas se ven las personas que deben trabajar eficiente y efectivamente en oficinas donde laboran muchas personas. Allí se aglomeran las perturbaciones en forma de ruido, conversaciones y la agitación general que genera el permanente ir y venir de personas.

No siempre es posible eliminar las perturbaciones externas. ¿Quién puede mudarse de una oficina a un tranquilo, para muchos, despacho individual?

A menudo pueden evitarse las fuentes de distracción ejecutando las tareas importantes en los momentos más tranquilos.

El exceso de trabajo o la sobrecarga de obligaciones

La presión que nos obliga a realizar cada vez más trabajo en menos tiempo se hace constante.

Con el objeto de arreglárselas para evacuar las enormes cantidades de trabajo exigidas, muchas personas intentan elevar la velocidad de su desempeño y de realizar a un mismo tiempo varias actividades.

Pero aquí se recomienda prudencia, pues lo único que se logra es llevar a cabo las tareas a medias y con errores. A largo plazo, la calidad del trabajo acusará estos defectos.

A este respecto, la mayoría de las veces resulta provechoso un manejo sensato del tiempo, para lo cual ayudan una distribución optimizada del trabajo, una definición clara de las prioridades y una mayor delegación de tareas.

¡Redacte planes de trabajo diarios para que administre su tiempo con más cuidado!

El malestar físico

Las enfermedades, la falta de ejercicio, la privación de sueño y una alimentación poco saludable también pueden constituir causas de una escasa capacidad de concentración.

Y es que también el estado físico influye en la concentración.

De modo que con suficiente ejercicio y una alimentación sana es posible eliminar los problemas de concentración.

El malestar psíquico

Asimismo, estados emocionales como el estrés, el miedo, la preocupación y la frustración hacen difícil trabajar concentradamente.

En general, la relajación ayuda a aliviar los sentimientos desagradables o negativos y a recuperar la capacidad de concentrarse.

También es importante descubrir y aplicar nuevas maneras de pensar y comportarse con las cuales sea posible suprimir el estrés y los miedos.

La monotonía, el aburrimiento, las tareas poco exigentes

Cuando uno debe realizar por mucho tiempo actividades repetitivas, tras un periodo no podrá hacerlo atento ni concentrado, sino automática y distraídamente. Para impedir desde el principio que la monotonía y el aburrimiento se presenten se recomienda la variedad. El aburrimiento inminente se puede contrarrestar aumentando la velocidad de trabajo.

También algunas actividades ayudan a evitar el aburrimiento. Tome notas durante una conferencia o formule preguntas ocasionales; no se limite a escuchar.

Así podrá estar alerta mucho más tiempo que quien lo soporta todo pasivamente.

Consejos para una buena concentración

■ Haga siempre una cosa a la vez, pero conscientemente.

■ Haga conscientemente todo lo que pueda.

■ Perciba y observe todo con atención.

■ Aprenda a encontrarle algún encanto a cualquier actividad.

■ Realice todas las tareas con los cinco sentidos.

■ Inicie nuevas labores solo cuando haya concluido las antiguas.

■ Programe pausas y cambios de trabajo.

■ Haga ejercicio todos los días.

■ Asegúrese de tener una alimentación sana y variada.

■ Ejecute más rápido, pero con la meticulosidad de siempre, ciertas tareas rutinarias.

■ En muchas actividades y deportes es cierto aquello de "más despacio es más rápido" y "la precisión es más importante que la prisa".

■ Emplee técnicas de relajación.

■ Cerciórese de dormir bien y suficiente.

Fuente: Beck/Birkle, Der LernCoach (CD-ROM), 2004

Bloque de ejercicios 2

Ejercicio 1

Ilusiones ópticas

¿Son iguales los diámetros de las cicunferencias centrales?

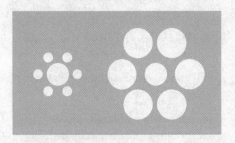 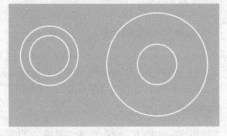

Ejercicio 2

Como uña y mugre

Algunas palabras forman parejas establecidas en el uso idiomático.

Por ejemplo:

Perros y _____   →   Perros y gatos

Complete los siguientes pares de palabras:

Bombos y _____   _____ y chicos

_____ y negro   Cielo y _____

_____ y sombra   Noche y _____

Cuerpo y _____   _____ y pimienta

Santo y _____   Pan y _____

_____ y obra   Sano y _____

Puño y _____   _____ y figura

Términos genéricos y específicos

Para cada término dado, halle un término genérico y uno más específico.

Por ejemplo:

Término genérico →

Vegetal
Flor
Rosa

Término específico → Rosa

Moneda

Cadena

Dedo

Tomate

Gato

Mesa

Ejercicio 4

Anagramas: sopa de letras

He aquí, revueltas, las letras que componen algunos nombres de mujer y de hombre. ¿De qué nombres se trata?

LAPOB	
RAAEND	
TEORORB	
RARIGATMA	
DICALUA	
SRTNOEE	
LGANEA	
IURMAICO	
ANIRACLO	
RIVEAJ	

Ejercicio 5

Preguntas y respuestas: tecnología

1. ¿Para qué sirve un generador?

2. ¿Qué se hace con un ábaco?

3. ¿En qué condiciones fluye la corriente?

4. ¿Qué aparato descompone mezclas girando?

5. ¿Qué función cumple un pararrayos?

Ejercicio 6

Palabras puente

Trate de encontrar en cada caso una palabra que oficie de "puente", entre las dos palabras propuestas. Dicha palabra deberá funcionar como final de la primera palabra dada, y el comienzo de la segunda. El resultado deben ser dos palabras con sentido.

Por ejemplo:

Loca	mente	cata
(Locamente)	(Mentecata)	

1.	Cara	esterol
2.	Por	ego
3.	Ultra	garita
4.	Cian	logo

Ejercicio 7

Transformación de las palabras o creación de nuevas palabras: palabras dentro de palabras

Construya el mayor número posible de palabras nuevas con letras de la palabra propuesta. Se puede alterar el orden de las letras.

ALMOHADA

Por ejemplo: hada, la, _____

_____

_____

_____

¿Cómo funciona nuestra memoria?

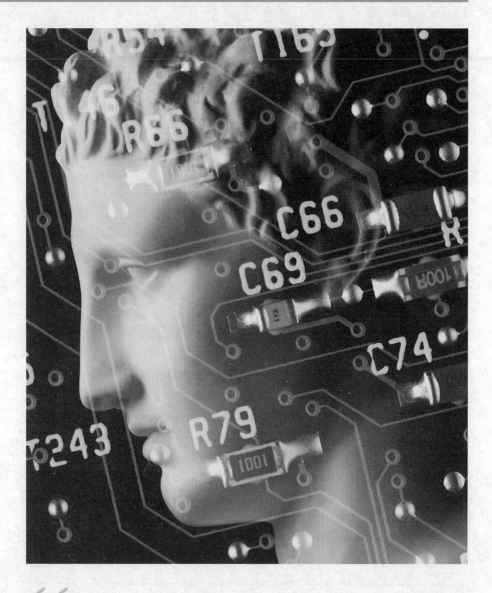

La memoria tiene tantas gavetas, que hay que pensar cuidadosamente qué buscar en ella

Erhard Blanck

Cuando se observa el encéfalo humano desde arriba, se ven dos mitades aparentemente iguales, llenas de sinuosidades y surcos. Los "hemisferios" derecho e izquierdo están unidos en el medio a través del cuerpo calloso, un cordón de fibras nerviosas.

Izquierda	**Derecha**
Lógica	Sentimientos
Razón	Emociones
Intelecto	Estados de ánimo
Números	Creatividad
Fechas	Instinto
Lectura	Intuición
Cálculo	Imágenes
Formación escolar	Sonidos
	"Experiencia"

Cuerpo calloso

La mitad izquierda del cerebro	La mitad derecha del cerebro
Controla el lado derecho del cuerpo	Controla el lado izquierdo del cuerpo
Intelecto	Sentimientos
Percepción de detalles	Percepción global
Pensamiento analítico	Pensamiento global (asociaciones)
Procesamiento de datos individuales	Visualización de imágenes
Estructura del lenguaje	Melodía del lenguaje/lenguaje figurado
Lógica	Creatividad, movimientos y actividad física (deportes, danza); regula las habilidades y experiencias artísticas, dibujo y pintura
Tiempo	Intemporalidad
Centro de memoria especial para palabras y números; analiza, valora y critica	Centro especial para la intuición, la espontaneidad y los sentimientos
El hemisferio más importante para los analistas y los matemáticos	El hemisferio más importante para los pintores, los diseñadores, los músicos y otros artistas

Fuente: www.hbechter.at/Mentaltraining/das_3teilige_hirn.htm

Es posible ejercitar cada hemisferio cerebral por separado, pero solo cuando las mitades izquierda y derecha trabajan juntas de manera óptima se aprovecha todo el potencial de rendimiento del cerebro.

La memoria funciona como un dispositivo de procesamiento de información basado en secuencias de estímulo-reacción.

Esto significa que, a través de los órganos de los sentidos, el cerebro capta estímulos en el entorno. Si son suficientemente intensos, los admite y almacena. Mediante un segundo estímulo se recuperan estos recuerdos.

Normalmente, este proceso transcurre de manera inconsciente. No obstante, conocer su funcionamiento puede aprovecharse para dirigir conscientemente la memoria.

El "filtro" protector: el guardián

Como cada segundo nos inundan alrededor de diez mil unidades de información en forma de pensamientos e impresiones sensoriales, en el cerebro existe un mecanismo que selecciona dicha información.

La información nueva llega seguidamente a la memoria sensorial, donde se decide si el respectivo estímulo se procesará o no.

Procesar toda la información que le llega excedería la capacidad del cerebro. Por esto, a la memoria sensorial se le puede calificar de filtro primario que protege de sobrecargas a nuestras neuronas. Todo el mundo escoge automática e individualmente qué impresiones procesar y cuáles, no siendo importantes, borrar.

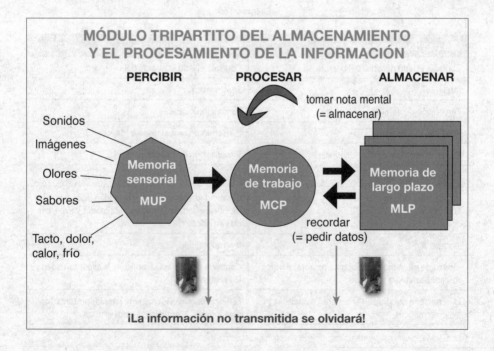

MÓDULO TRIPARTITO DEL ALMACENAMIENTO Y EL PROCESAMIENTO DE LA INFORMACIÓN

PERCIBIR · PROCESAR · ALMACENAR

tomar nota mental (= almacenar)

Sonidos · Imágenes · Olores · Sabores · Tacto, dolor, calor, frío

Memoria sensorial MUP → Memoria de trabajo MCP ⇄ Memoria de largo plazo MLP

recordar (= pedir datos)

¡La información no transmitida se olvidará!

Estas, por lo tanto, no se procesan sino que se "pasan por alto" o "no se perciben". La falta de interés o la interferencia de otra información hace que la información original no se almacene y, por ende, se esfume sin dejar huella.

Por consiguiente, cualquier información debe atravesar varios niveles —es decir, procesos— antes de anclarse firmemente en la memoria y ser susceptible de recuperarse.

La información entrante es admitida, a través de nuestros cinco sentidos, a la memoria sensorial —la memoria de ultracorto plazo, MUP—. Allí se determina si es tan importante que merezca transmitirse a la memoria de trabajo o si deberá ir a parar a la "papelera de reciclaje".

Una vez que decidimos "tramitarla", esa información pasa a la memoria de trabajo —la memoria de corto plazo, MCP— y allí la "tramita".

La memoria de largo plazo y la de corto plazo, trabajando en conjunto, construyen un sistema de procesamiento de información en que sus funciones se traslapan.

Tomando repetidamente nota mental de ella (=almacenándola) y recordándola una y otra vez (= recuperándola), la información se manifestará en la memoria de largo plazo (MLP).

Con ayuda de las siguientes imágenes se aclara un poco esta secuencia de eventos:

Modelo de oficina		
Memoria de ultracorto plazo	**Memoria de corto plazo**	**Memoria de largo plazo**
En primer lugar, la información nueva o desconocida	debe "tramitarse", ordenarse, estructurarse y clasificarse	antes de que pueda depositarse en el "archivador" cerebral.

Bloque de ejercicios 3

Ejercicio 1

Percepción visual: fragmento de una imagen

¿Qué podría estar representado en esta imagen?

¡Deje volar la imaginación!

Aquí solo se ve un pequeño fragmento, pero quizás la imagen llegue a relatar una historia completa.

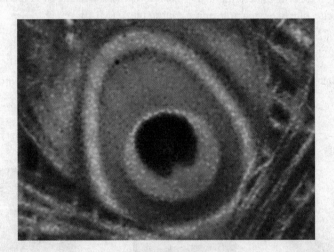

Ejercicio 2

Refranes

¿Cómo reza la segunda parte de los siguientes refranes?

A caballo regalado _____

Una golondrina _____

Muerto el perro _____

Al toro _____

No hay moros _____

El que se mete a redentor _____

Deme plata y no _____

Quien canta _____

Quien tiene boca _____

No hay peor sordo _____

¿Cómo reza la primera parte de los siguientes refranes?

_____ no muere en guerra.

_____ rompe el saco.

_____ ; y al vino, vino.

_____ no mama.

_____ de todos los vicios.

_____ que ciento volando.

_____ la víspera.

_____ y pocas nueces.

_____ y no corra.

_____ por su condición.

Ejercicio 3

Ejercicio de categorización: términos genéricos y específicos

Para los siguientes términos encuentre:

1. Respectivamente, un término más general, y

2. Por lo menos, dos términos más específicos (ejemplos).

Por ejemplo:

Término dado	Término genérico	Términos específicos
Viena	Ciudad	Salzburgo, Linz, Graz…

Término dado	Término genérico	Términos específicos
Brócoli		
Francia		
Piano		
Agua		
Perro		
Plancha (de ropa)		

Ejercicio 4

Ejercicio de concentración y atención

Al revés…

A continuación encontrará algunas palabras escritas correctamente. Léalas una por una. Luego cúbralas y escríbalas de memoria para leerlas de derecha a izquierda.

Ejemplo: memoria airomem

Sí _____   Dirección _____

Sal _____   Auto _____

Lata _____   Blusa _____

Alfombra _____   Mochila _____

Billete _____   Software_____

Dependencia _____   Dinosaurio _____

Ejercicio 5

Ejercicio de concentración

Concéntrese en los siguientes símbolos.
Siempre que aparezcan tres signos iguales ordenados en ángulo recto, como los señalados en la esquina superior izquierda, únalos.

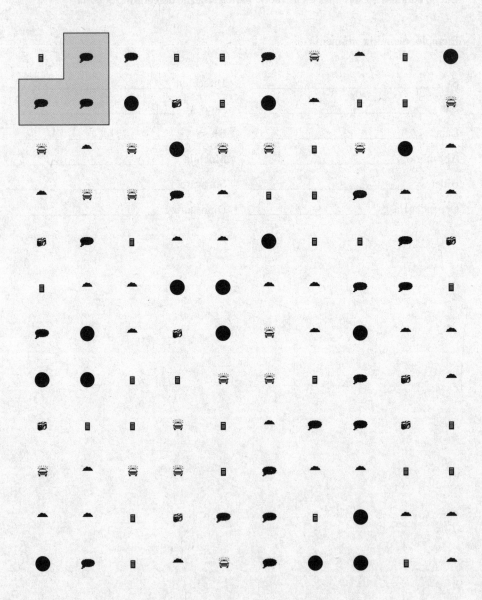

Ejercicio 6

Encontrar palabras: disposición de las letras

A continuación se muestran únicamente la inicial y la última letra de una palabra. Encuentre palabras con sentido, agregando letras entre ellas.

Ejemplo: B ... N: botón, bien

Trate de completar la siguiente disposición de palabras:

A ... R:

Aprender,

Percepción: la memoria de ultracorto plazo

> " Nada hay en el intelecto que no haya pasado por la percepción "
>
> Tomás de Aquino

Al comienzo, toda la información que captan nuestros sentidos llega a la memoria sensorial, también denominada memoria de ultracorto plazo.

La información entrante es admitida por:

Ojos	Oídos	Nariz	Boca	Piel

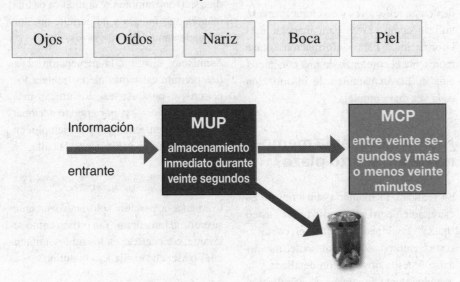

La información se almacena instantáneamente durante alrededor de veinte segundos como un estímulo eléctrico (corriente de iones).

El procesamiento de impresiones nuevas depende de la intensidad del estímulo.

Solo los estímulos intensos suscitan interés y atención.

La información sin "chance":

- No es suficientemente atractiva.

- Es insignificante.

- No es interesante.

- Es poco llamativa.

- Solo se percibe inconscientemente.

- Tiene poca relación con lo conocido.

A esta información se superpondrán rapidísimamente nuevos estímulos, por lo que se irá desvaneciendo hasta no dejar rastro.

Naturalmente, este fenómeno se aprovecha en publicidad. Los productos se presentan de una manera llamativa y atractiva para que el consumidor los recuerde y, a la hora de comprar, se decida precisamente por determinado artículo.

También al "vitrinear" por la ciudad, usted solo registra aquellas prendas de vestir que le gustan; es decir, que encuentra especialmente llamativas.

Nuestro cerebro comienza a clasificar de manera automática la información nueva durante el proceso de asimilación. Esto significa que, cuando se adquiere una nueva experiencia, esta no ingresa completa y con todos sus detalles —como una foto o una película— en la memoria.

Por el contrario, las impresiones se encienden como reflectores y en cierta forma se utilizan como claves para manejar más información. Esta información clave representa el comienzo de una concatenación de mayor cantidad de información cada vez más compleja.

¿Cómo ejercitar la memoria de ultracorto plazo?

En realidad, la memoria sensorial no es ejercitable, pero, a medida que usted "aguza" los cinco sentidos, el contacto con el entorno es, naturalmente, más intenso. Pues la observación detallada y la escucha atenta favorecen la asimilación de información.

Y es que, cuanto más detallada e intensa es la percepción, con más precisión se tramitará y almacenará la información. En consecuencia, esta podrá recuperarse después más fácilmente. Es algo comparable a una fotografía: cuando la toma ha sido buena y nítida, años después se reconoce la imagen más claramente y se recuerda mejor el acontecimiento respectivo, que si se cuenta con una foto borrosa y desenfocada.

Solo mediante la observación minuciosa se está en posición de reproducir, después, un recuerdo claro.

Percepción acústica: el oído

Como ya se mencionó, escuchar atentamente constituye un fundamento impor-

tante del contacto cotidiano con el entorno. Quien escucha concentrado al otro, no solo recuerda mejor lo que se le dice sino que también se comunica de una manera más intensa y no permite que surjan malentendidos.

Asimismo, ejercitar la percepción acústica permite estar más alerta frente a los peligros —pues estos se identifican más rápido y mejor— y, por ende, reaccionar a tiempo al enfrentarlos, por ejemplo, en medio del tráfico vehicular en la calle.

Ejercicio

Comience a percibir solo acústicamente su entorno inmediato. Tan pronto como se levante, concéntrese en los ruidos ambientales o escuche el silencio matutino.

Percepción visual: la vista

Cuanto mayor sea la precisión con que se perciba el ambiente, mayor será la probabilidad de recordar la información que este genere.

Cuando usted viaja por tierras extrañas presta mucha atención en localizar puntos de referencia y trata de percibir detalladamente el entorno con el objeto de encontrar el camino de vuelta.

O cuando necesita localizar su automóvil en un enorme parqueadero, usted va recordando una serie de detalles que le permiten llegar a él.

Ejercicio

Fíjese en los detalles de su entorno habitual. Contemple objetos conocidos, y también a sus parientes y amigos.

Percepción olfativa: el olfato

¿No comienza el goce de la comida con la percepción de todos sus olores? Y solo la combinación de olfato y gusto hace que los manjares se disfruten realmente.

Las papilas gustativas de la lengua solo deparan cuatro posibilidades de percepción mientras que la nariz capta una gran variedad de sensaciones.

Aquí no debe olvidarse que precisamente la identificación olfativa puede salvarnos la vida, al percibir la presencia ya sea de humo o de gases venenosos.

Además, gracias al olor se puede determinar de antemano si un producto alimenticio es comestible.

Percepción gustativa: el gusto

Ya lo expresa el refrán: "Se nos hace agua la boca", pues en la preparación misma de las viandas es una gran ventaja un afinado sentido del gusto.

Cuán ejercitable es este nos lo demuestran todos los grandes cocineros o catadores de vinos, cuyas papilas gustativas calibran con exactitud los sabores. Además mediante este sentido se puede determinar la comestibilidad de los

víveres e identificar la gran mayoría de agentes alergénicos.

Ejercicio

Atrévase por una vez a probar nuevos sabores o cierre los ojos al comer e intente identificar los ingredientes. ¡Para esto deberá tomarse un tiempito!

Percepción táctil: el tacto

¿Se ha encontrado usted alguna vez a oscuras ante su puerta queriendo encontrar la llave en el bolsillo?

Muchas acciones de esta índole ocurren de manera automática y requieren un tacto sensible.

Pero también a los aparatos tecnológicos se les dota de teclas cada vez más pequeñas, o la manipulación de objetos diminutos exige la percepción táctil de estímulos débiles.

Solo cuando los otros sentidos fallan, como al perder la vista, se reconoce cuán ejercitable es este sentido.

Ejercicio

Sin sacarlos, nombre todos los objetos que tenga en el bolsillo o maneje su control remoto sin mirarlo.

Bloque de ejercicios 4

Ejercicio 1

Ilusiones ópticas

¿Tienen los tres cubos el mismo tamaño?

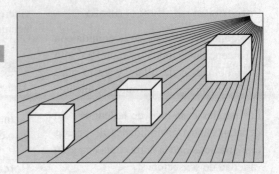

Ejercicio 2

Refranes con animales

Escriba el nombre del animal que corresponda en los siguientes modismos y refranes.

A _____ regalado no se le mira el colmillo.

Pelearse como _____ y _____.

Una _____ no hace verano.

Más vale _____ en mano que ciento volando.

No matar una _____.

Aquí hay _____ encerrado.

_____ que ladra no muerde.

A otro _____ con ese hueso.

Cría _____ y te sacarán los ojos.

_____ con guantes no caza.

Quedar como _____ en leche.

Quien con _____ anda, a aullar aprende.

El _____ sabe en qué palo trepa.

Cada _____ con su pareja.

Ejercicio 3

Forasteros

¿Qué término desentona? Tache el forastero y trate de explicar qué lo hace serlo.

Por ejemplo:

Pepino	Calabacín	Apio	Tomates	Puerro

→ Los tomates no encajan por que no son hortalizas verdes.

1.

Arce	Roble	Pino	Tilo	Abedul

→ _____

2.

Susana	Martín	Isabel	Anita	María

→ _____

3.

Immanuel Kant	Aristóteles	René Descartes	Freidrich Nietzsche	Johann Sebastian Bach

→ _____

4.

José Saramago	Gabriel García Márquez	Jorge Luis Borges	Mario Vargas Llosa	Plácido Domingo

→ _____

Ejercicio 4

Ejercicio de concentración: letras duplicadas

Encuentre las letras duplicadas y táchelas.

Ejemplo: HG PT ~~DD~~ SO MT EV ~~II~~ EX PS JH AZ ~~TT~~

BC QP ZA DV TD HR CC HS LO DD EM LV FK BN PP

LM PT TR CX EE LK XX IJ DH RR VR SD DU CH KK ZU

BR ST TT PB MW EH VW WW HY LO QV BS UV GZ VV

VB AS TH ZH SR SS LL OP MR KA FF PZ DD HX RT EF

Ejercicio 5

Variaciones anagramáticas: comparación de palabras

Compare las palabras de abajo con la palabra dada. Tache las que no podrían construirse con las letras de esta.

La palabra dada es ABECEDARIO

Deber   Rabo   crecer   rio   abrir

barba   odiar   ario   Beca

odiar   Irán

Ejercicio 6

Juegos de palabras

En cada renglón solo puede cambiar una letra, de tal manera que cada palabra sucesiva, que deberá tener sentido, se aproxime a la palabra de llegada. ¿Qué necesita un MARCO para convertirse en una GARRA?

M	A	R	C	O	X
G	A	R	R	A	X

Ejercicio 7

Ver bien

Trate de encontrar en el mapa los países
que aparecen sueltos abajo y, de ser
posible, escriba sus nombres.

1 _____ 2 _____ 3 _____ 4 _____ 5 _____

Codificación: la memoria de corto plazo

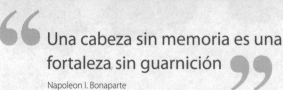

Una cabeza sin memoria es una fortaleza sin guarnición

Napoleon I. Bonaparte

Al siguiente almacén, la memoria de corto plazo, llega la información que resulta más interesante y atractiva que otra, la que a uno le parece importante o la que ha buscado: precisamente, aquella que ha percibido conscientemente.

Aquí se le guarda hasta que se le procesa más a fondo, se le relaciona con el conocimiento preexistente o se le clasifica y estructura. Solamente entonces llega la información nueva a la memoria de largo plazo.

Además, en esta fase, nuestro cerebro conserva cosas solo por un tiempo limitado. Este lapso se extiende entre veinte segundos (para el almacenamiento inmediato) y alrededor de veinte minutos.

El tiempo de permanencia de la información es breve

Un ejemplo conocido de almacenamiento de corto plazo es la capacidad de retener un número telefónico justamente el tiempo que se tarda en marcarlo.

Es probable que a continuación se olvide. Pero si nadie contesta o la línea está ocupada, uno deberá volver a buscar dicho número.

Cuando no se le recupera, la información permanece más o menos veinte segundos en la memoria de corto plazo y luego se pierde. De lo contrario se almacenaría una enorme cantidad de información inútil. Por ejemplo, es innecesario retener el número después de la llamada telefónica. De este modo se abre espacio para información nueva.

La memoria de corto plazo es muy propensa a fallar

Solo cuando usted se concentra bien en algo, la respectiva información puede penetrar en la memoria de corto plazo.

Tan pronto como usted se distrae, es muy probable que la información inicial se olvide.

El ejemplo más conocido de tal situación es este: estando en casa, usted entra a otra

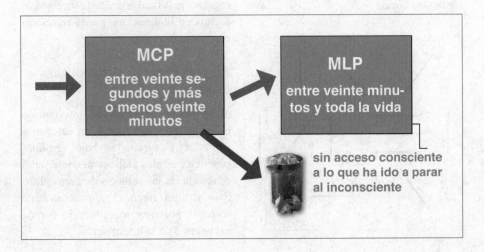

MCP
entre veinte segundos y más o menos veinte minutos

MLP
entre veinte minutos y toda la vida

sin acceso consciente a lo que ha ido a parar al inconsciente

habitación a recoger algo y, una vez allí, súbitamente no recuerda su intención original.

Esto no está relacionado con que tenga mala memoria sino, más bien, con que usted se ha dejado distraer por otras cosas.

En camino a la habitación, usted alcanza a pensar en otras cosas y no carga en la memoria la intención original. Llegado a ese punto, ya no puede recuperar la información inicial.

Memoria con capacidad de almacenamiento limitada

Cuando usted realiza varias actividades al mismo tiempo y quiere, por ejemplo, concentrarse en una conversación, es muy probable que no pueda retener todos los pormenores.

Ejercicio

Intente recordar en el orden correcto las siguientes líneas:

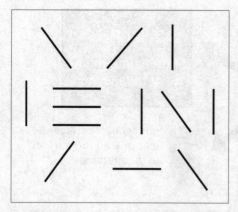

Transferencia de información en la memoria de largo plazo

La concentración

Como se mencionó en el capítulo "La concentración", esta desempeña un papel esencial en la transferencia de la información a la memoria de largo plazo. Solo a través de la percepción consciente, la atención enfocada y la dedicación deliberada a ella, es posible procesar idealmente la información.

La repetición

Solo si se repite tan a menudo como sea posible (= se memoriza), un contenido nuevo podrá transferirse a la memoria de largo plazo hasta que usted se lo haya grabado definitivamente.

Por medio de la repetición se almacena la información. Para aprenderse un número telefónico hay que repetirlo con frecuencia. Probablemente más adelante uno pueda marcarlo sin consultar. Esto le resultará más fácil si divide la sucesión de dígitos en bloques que pueda relacionar con números conocidos.

Acopiar, ordenar, sistematizar, estructurar

Al clasificar unidades de información individuales y semejantes en categorías definidas y agruparlas bajo términos genéricos, es más fácil retenerlas simultáneamente en la memoria de corto plazo. Esto facilita tanto el almacenamiento como la posterior reproducción o reconocimiento de la información.

Ejercicio

¿Qué números faltan en el siguiente cuadro?

1	2	3	4	5	6	7	8	9	10
11	12	13	14	15	16	17	18	19	20
21	22	23	24	25	26	27	28	29	30
31	32	33	34	35	36	37	38	39	40
41	42	43	44	45	46	47		49	50
51	52	53	54	55	56	57	58	59	60
61	62	63	64	65	66	67	68	69	70
71	72	73	74	75	76	77	78	79	80
81	82	83	84	85	86	87	88	89	90

Ejercicio

¿Y en este?

1		34		13	25		3
29		8		21			
18					4		39
	26		11	17		9	28
23	7	33	2	35		14	
	12				6	20	
	40		19	31	38		36
30	5			16		10	
22		27			37		32

Con seguridad, usted ya se ha dado cuenta de qué pretenden demostrarle estos ejercicios:

Es más difícil buscar los números si están en desorden. Asimismo requiere considerablemente más tiempo hallar la solución. Exactamente lo mismo nos ocurre con nuestra memoria.

Cuando la información se almacena en desorden, es más difícil volver a encontrarla. Por eso es conveniente hacer más "digerible" la información estructurándola y organizándola previamente.

Por ejemplo, al ir a la tienda de víveres, constituye un esfuerzo para la memoria recordar todos los artículos indispensables.

Sin embargo, al ordenarlos en grupos definidos, como frutas, verduras, carnes y lácteos, resultará más fácil recordarlos.

A ordenar el caos

¿Todavía recuerda usted el orden de las líneas de la página 54?

Si no recordó correctamente todas las líneas, no se preocupe, pues, como ya se apuntó, la memoria de trabajo tiene una capacidad limitada. Esta asciende a $7 +/- 2$ (entre 5 y 9) unidades de información.

De modo que no importa cuán voluminosas sean las unidades individuales; es decir, no importa si son siete letras, siete palabras o siete grupos de conceptos.

Esto significa que, cuando los datos individuales pueden ordenarse en grupos, se necesitará un menor espacio de almacenamiento. Las relaciones —los pensamientos interconectados— también pueden almacenarse como un elemento más. De ahí que las imágenes sean muy útiles: una sola contiene varias unidades de información que pueden notarse a un mismo tiempo.

Si relacionó las líneas del ejercicio de la página 54, usted se habrá percatado de que componen, mal que bien, la palabra VIENA. Al establecer la relación se pueden ensamblar las trece unidades individuales en una sola unidad global de información. Finalmente, el cerebro podrá retenerla con facilidad.

Cuanto más se adapte a las condiciones de la memoria de corto plazo, más éxito tendrá al aprender. En este conocimiento se basan todas las mnemotecnias (técnicas de memorización).

La elaboración (= asimilación profunda)

Las unidades de información se asocian al conocimiento ya existente y, por tanto, crecen. Así, se "agarran" de lo conocido.

Lo conocido es el pretexto, el "gancho", que necesita el cerebro para fijar información nueva.

Cuando uno desea recordar cosas debe vincularlas, en la imaginación, con unidades de información ya almacenadas; es decir, debe "asociar".

La imaginación (= representación) y la asociación (= establecimiento de relaciones) son los fundamentos más importantes de las diversas técnicas de memorización.

La asociación de pensamientos-imágenes (= visualización) aumenta la capacidad de memorizar, puesto que lo verbal solo se fija en el cerebro en un segundo plano.

Los tres pilares de una buena memoria:

imaginación →asociación →visualización

La motivación

El almacenamiento de información nueva funciona mejor cuando usted sabe por qué y para qué aprende algo; es decir cuando reconoce un sentido en ello; esto es, cuando los contenidos nuevos tienen significado para usted.

En todas las formas de codificación, el material propuesto se organiza según su significado y se clasifica según estructuras memorísticas preexistentes.

Cuanto más fuertemente conectados estén o lleguen a estarlo, los contenidos con experiencias y sentimientos personales, mejor se procesarán y almacenarán.

A ordenar el caos

¿Recuerda usted aún el caos de la página 56? En primer lugar, intente recordar los términos genéricos ya establecidos y después los correspondientes términos específicos.

Bloque de ejercicios 5

Percepción óptica: fragmento de una imagen

¿Qué estará representado en esta imagen? Deje volar su imaginación. Aquí solo se ve un fragmento muy pequeño. Pero quizás la imagen le relate toda una historia.

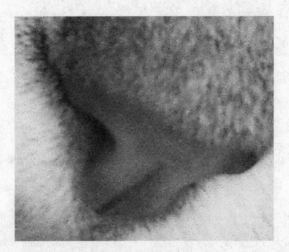

Adivinanzas con refranes

¿A qué refranes aluden las siguientes paráfrasis?

Cuanta más bulla hace un adversario, menos peligroso es.

_____

¿Quiénes dicen la verdad?

_____

Al hablar, es fácil decir burradas.

_____

Cada uno se apega tenazmente a su dictamen u opinión sobre algo.

_____

Ejercicio 3

¿Qué va con qué?

Arme las parejas correctas.

Por ejemplo: escritoras y sus obras.

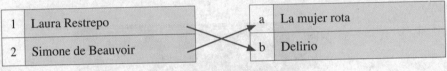

1	Laura Restrepo		a	La mujer rota
2	Simone de Beauvoir		b	Delirio

Soluciones:　　1/b　　2/a

Novelistas y sus novelas

1	Gabriel García Márquez		a	El viejo y el mar
2	Fedor Dostoievski		b	El desbarrancadero
3	Hermann Hesse		c	El lobo estepario
4	Ernest Hemingway		d	Madame Bovary
5	Fernando Vallejo		e	La mala hora
6	Gustave Flaubert		f	El idiota

Soluciones:　　1.__　　2.__　　3.__　　4.__　　5.__　　6.__

Ejercicio 4

Ejercicio de memorización

Trate de memorizar la disposición de las casillas coloreadas. Luego cúbralas y coloréelas en los cuadrados de abajo.

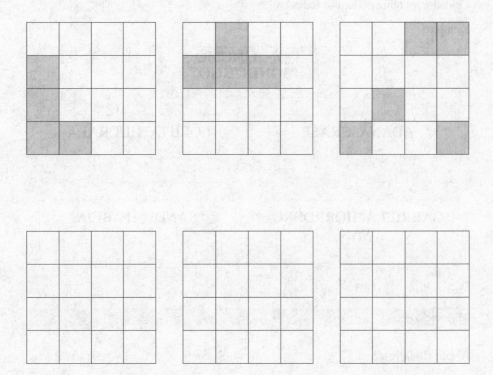

Ejercicio 5

Anagramas chistosos: revoltijo de letras

Menú: para saber qué plato ha pedido cada persona hay que trasponer acertadamente las letras de su nombre.

Cuidado, ¡es obligatorio usar todas las letras!

Ejemplo:

**DON GNOMO
MONDONGO**

ADANA CRASE

LOLIJTA HUCRALA

GABRIELA HORROBRO-SAN

SANDI APABEJA

Ejercicio 6

Al pie de la letra

Hay que buscar el término descrito. La palabra buscada es un sustantivo y, para descubrirla, hay que tomar la descripción al pie de la letra.

Por ejemplo: Diente agudo colocado entre los incisivos y las muelas = colmillo

Ser unicelular, visible solamente al microscopio _____

Plan optimista, irrealizable cuando se formula _____

Olla compuesta de carne, yuca, plátano y otros ingredientes _____

Mujer que presenta a un bebé en su bautismo _____

Vehículo con motor, semejante a una bicicleta _____

Explicación de un texto difícil de entender _____

Ejercicio 7

Encontrar palabras: disposición de las letras

A continuación se muestran únicamente la inicial y la última letra de una palabra. Encuentre palabras con sentido agregando letras entre ellas.

Ejemplo: B … N: botón, bien

C … O:

Caballo _____

_____

Decodificación: la memoria de largo plazo

> Quien tiene mala memoria está condenado a repetir sus equivocaciones
>
> Proverbio indio

La memoria de trabajo y la memoria de largo plazo no deben considerarse dos partes separadas, puesto que se traslapan en la conformación de un sistema de procesamiento de información. La memoria de largo plazo conserva la información de tal manera que esta no se modifique con el tiempo ni sufra la interferencia de otros contenidos, y está muy lejos de usarse en toda su capacidad a lo largo de la vida.

Cuando la información llega a la memoria de largo plazo, en el cerebro tienen lugar transformaciones químicas. Normalmente, lo que se almacena una vez en la memoria de largo plazo jamás se olvida. Con todo, allí se acumula una gran cantidad de información en el transcurso de una vida: los científicos calculan que un adulto almacena en la memoria de largo plazo quinientas mil veces la cantidad de información que contiene la enciclopedia más grande. Pero no puede recuperar de golpe, de este ingente volumen de información, más que una parte ínfima.

La parte que podemos recuperar sin dificultad se denomina "conocimiento activo". Contiene la información que necesitamos con mayor frecuencia, la que nos permite desempeñarnos activamente en el mundo y la que hemos aprendido con más vehemencia; es decir, con el intelecto y el corazón. Por el contrario, el "conocimiento inerte" —vale decir, pasivo— es el que rarísima vez se necesita, como, por ejemplo, una lengua que alguna vez se aprendió bien pero que no se utiliza hace varios años.

Sin embargo, este conocimiento no se pierde, pues lo que se haya aprendido alguna vez puede refrescarse rápido. El esfuerzo que hay que hacer para ello es menor que el requerido para aprender un nuevo idioma.

En la memoria de largo plazo se encuentra todo el acervo de experiencia e información de un ser humano. La información que penetra hasta la memoria de largo plazo no simplemente se archiva como una copia de la realidad sino que se codifica con uno o varios rótulos y se almacena bajo diversas etiquetas —entre ellas "palabras clave"— en la memoria.

La información recién recuperada se centraliza y condensa. Asimismo, una unidad de información se clasifica de las maneras más variables y se asocia con lo que ya se conoce.

Para facilitar la recordación se crean palabras —o términos, nociones, imágenes o conceptos— clave que permiten clasificar la información. Por ejemplo, cuando uno ha visto una película no se demora contándosela a un amigo todo el tiempo que duró. Más bien escoge los momentos culminantes y se limita a lo esencial. Para ello condensa la información y entresaca unidades concretas que se convierten, en este caso, en sus imágenes o términos clave.

También el mecanismo de un chiste es un ejemplo de palabra clave. Cuando uno recuerda aquella etiqueta, se le viene a la memoria el chiste respectivo.

Las palabras clave acústicas, es decir articulatorias, se almacenan según criterios formales como su sonoridad, su longitud o su letra inicial. Por ejemplo, es posible recordar un nombre por el sonido de su inicial, por su número de sílabas, por su ritmo y, en ocasiones, por su significado.

Otras palabras clave contienen información sobre el modo, el lugar y el momento de la interacción. En la memoria jamás se graba únicamente lo que uno desea aprender sino también ciertas indicaciones contextuales. Por ello se dice que los procesos de aprendizaje dependen del contexto. Desde luego, las circunstancias que acompañan a los procesos de aprendizaje pueden servir de conceptos clave para recuperar la información; por ejemplo, de quién y cuándo se ha tenido noticia, ya sea por la radio, por televisión o en la prensa. Los nombres también pueden relacionarse con circunstancias precisas, como, por ejemplo, dónde se conoció a la persona en cuestión, quiénes más se encontraban allí y qué hacían exactamente.

Con frecuencia, cuando ya están en la memoria, las palabras clave se conectan entre sí y a otras unidades de información en una compleja red. La información jamás se guarda aislada sino siempre en relación con otros contenidos. Cuantas más experiencias haya acumulado una persona, más estrechamente entretejidas estarán las asociaciones que haga y más fácil le quedará aprender cosas nuevas.

Cada una de estas etiquetas almacenadas puede convertirse en un "gatillo" para recuperar información. Cuando alguna entra en escena como estímulo, se puede recuperar una totalidad completa de información. Así, ciertos olores o melodías pueden hacer que se recuerde un episodio de la infancia que se creía olvidado.

Cada persona elabora sus propias palabras, términos, nociones o imágenes clave, los cuales son individuales. La habilidad

de elaborarlas varía de persona a persona. Además, depende de la edad y de la situación de cada una. Tal vez quien recuerde con facilidad chistes malos se acordará muy bien de los nombres y los rostros. Otros, en cambio, tienen un buen sentido de orientación.

Organización de la memoria de largo plazo

Memoria inconsciente: implícita "saber CÓMO"

Memoria procedimental

Aquí se contemplan los movimientos y actos automáticos como, por ejemplo, montar en bicicleta y conducir un automóvil.

Imprimación

Influencia de la percepción inconsciente, como en el caso de la publicidad o de palabras leídas de paso.

Memoria consciente: explícita "saber QUÉ"

Memoria fáctica

Se encarga de los conocimientos factuales en general. Se fundamenta en la comprensión de palabras y conceptos. Sabe, por ejemplo, que Europa es un continente y que 1.000 m $= 1$ km.

Memoria experiencial

Almacena aquellos sucesos grandes y pequeños que han determinado la historia personal. Lo guarda todo: desde recuerdos del primer día escolar hasta el momento más importante de la vida. Sabe con quién y en qué circunstancias se encontró uno ayer, lo que almorzó hoy y qué se propone hacer mañana o la semana entrante.

La memoria experiencial colecciona todas las impresiones sensoriales, sensaciones y sentimientos que determinan la vida de alguien. Como debe lidiar con impresiones que varían permanentemente, no contiene demasiadas unidades de información. En cuanto a esto, la información queda más firmemente anclada en la memoria fáctica. A medida que envejece una persona es más frecuente que sus problemas de memoria afecten a la memoria experiencial.

Ejercicio

Compruebe su memoria fáctica

- ¿Por cuál punto cardinal sale el sol y por cuál se oculta?

- ¿Quién fue el primer presidente de Colombia?

- Nombre un componente del queso.

- ¿Cómo se llama la película protagonizada por Clark Gable y Vivien Leigh cuya trama transcurre durante la guerra de Secesión de Estados Unidos?

- ¿Cuántos gramos equivalen a un kilo?

Compruebe su memoria experiencial

- ¿Cuándo fue la última vez que cenó usted fuera de casa, y con quién?

- ¿Qué asuntos tiene usted pendientes para la semana entrante?

- ¿Quiénes lo llamaron por teléfono ayer y qué querían?

¿Qué ha comprobado?

- ¿Qué respuestas le tomaron más tiempo: las referentes a hechos externos o las referentes a sus experiencias personales?

- ¿Cuáles de estas preguntas le obligaron a reflexionar más?

- ¿Qué preguntas respondió de manera totalmente automática?

Recuperación de información almacenada en la memoria

La información almacenada en la memoria se recupera mediante:

Reconocimiento
Rememoración repetida

- Reconocimiento significa que la información que se trate debe compararse con lo ya conocido. La información memorizada concreta se buscará y reproducirá conscientemente.

- Para recuperar información almacenada es preciso registrar activamente la memoria en su búsqueda y reproducirla de manera consciente.

La mayoría de las veces, la rememoración es tan rápida que el proceso parece automático.

Solo cuando se tienen dificultades para recordar algo se hace claro cuán difícil es localizar la información deseada.

Recordar

1. ¿Qué gas se produce por la fotosíntesis?

2. ¿Cómo se llama la bebida que se extrae del cacao?

3. ¿Cuántos átomos contiene una molécula de agua?

Reconocer

1. ¿Qué es recordar?

   a) Un sust. pl.

   b) Un v. trans.

   c) Un pron. pos.

2. ¿Qué significa la palabra griega narcosis?

   a) Ensueño

   b) Somnolencia

   c) Entumecimiento

3. ¿Qué es exactamente un carnero?

   a) Una raza de ovejas

   b) Un macho cabrío

   c) Un borrico castrado

Bloque de ejercicios 6

Ejercicio 1

Ilusión óptica

¿Son iguales de largas las dos líneas?

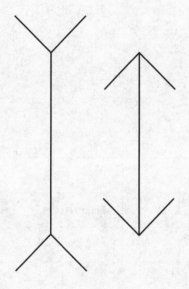

Ejercicio 2

Revoltijo de refranes

¿Qué pares de refranes están revueltos en las siguientes frases?

Caballo regalado no muerde.

_____

_____

Más vale pájaro en mano que tal astilla.

_____

_____

A veces pagan justos con su pareja.

_____

_____

Para lo que hay que ver, corazón que no siente.

_____

_____

De noche, Dios lo ayuda.

_____

_____

Ejercicio 3

Términos genéricos y específicos

Busque un término genérico y uno más específico para cada una de las palabras dadas.

Por ejemplo:

Término genérico →

Vegetal
Flor
Rosa

Término específico →

Cuchara

Agua

Manzana

Pantalón

Auto

Félido

Ejercicio 4

Ejercicio de concentración: alimentos

Encuentre las palabras ocultas.

1.

SLNFGTNMNSLKHTARVEJASXNWÑCSGDCXSÑYS

2.

FMSKQHXNHLFAJBYKTAWHSKCTRIGOZAÑR5GDKJ

3.

SKGNJHDKGÑBDQPMOJARRAOVBDJKSTRKGSJF

4.

SLJsbnckg8sf3rpjslsdJDGWniDKRECSCALabAzafslnFAS

Ejercicio 5

Anagramas: comparación de palabras

Compare las palabras de abajo con la palabra de referencia dada. Tache las que no estén compuestas de letras que conforman esta.

Palabra dada: GUATEMALTECO

Lagos   tamal   loca   maleta

igual   agotamos

mago

tomate   agua   gueto   aguacate   tolteca

Ejercicio 6

Relaciones lógicas

Ejercicio de ordenación lógica.

Por ejemplo:

Bosque	es a	árbol	como	prado	es a	hierba

1.

	es a	perder	como	recordar	es a	olvidar

2.

Oír	es a	oreja	como		es a	boca

3.

Brócoli	es a		como	salmón	es a	pez

4.

Pasta	es a	cocinar	como		es a	asar

5.

	es a	comida	como	sed	es a	agua

Ejercicio 7

Juegos de palabras: expresiones compuestas

Complete cada expresión compuesta con el nombre de un animal.

Ejemplo:

VACA	LECHERA

	DE LIDIA	PIEL DE	
	DE BEN-GALA	ANCAS DE	
	NEGRA	MERCADO DE LAS	
	BAYO	TRINOS DE	
	MONTÉS	RIÑA DE	
	DE PELEA	PATADA DE	
	BLANCO	TROMPA DE	
	CANGURO	CORRIDA DE	
	POLAR	RATA	

¿Por qué olvidamos?

"Recuerdo cosas que deseo olvidar y olvido las que no deseo olvidar"

Eurípides

Hacemos *zapping* por muchos canales de televisión, queremos recordar números telefónicos, contraseñas y direcciones en Internet, organizamos simultáneamente asuntos laborales, familiares y recreativos, en tanto que el cerebro solo puede admitir de golpe 7 (+/– 2) unidades de información.

Así, la mayoría de los seres humanos libran una guerra cotidiana contra el olvido. Entre los factores que inciden negativamente en nuestras neuronas están el exceso de estímulos, el miedo, la falta de sueño y de ejercicio, la mala alimentación, la nicotina y el alcohol. Sin mencionar el estrés, la mayor causa de la falta de memoria.

El colapso de la memoria

Uno no puede recordar algo cuando el proceso "admitir, retener y recuperar" falla en alguna parte. Y es francamente frustrante tener que poner toda la casa patas arriba buscando algo importante como, por ejemplo, documentos, facturas o un cheque llegado por correo el día anterior.

Puede entonces ocurrir lo siguiente: uno procede a sentarse tranquilamente, se relaja e intenta recordar qué hizo con el cheque después de sacarlo del buzón.

Busca minuciosamente en aquellos lugares donde pudo haberlo dejado apenas lo recibió. Al no encontrarlo por ninguna parte, se irrita, su cuerpo se crispa —quizás hasta sienta cómo el corazón le late más aprisa— y empieza a caminar acelerada y nerviosamente de un lado a otro.

Tras un rato ya no piensa con claridad. Es posible incluso que caiga en el pánico. En aquellos momentos en que siente el estrés que se deriva de ser tan olvidadizo, uno quizás comience a preocuparse de verdad por su memoria.

Tres causas del olvido

Primer nivel de olvido

Uno no ha captado suficientemente bien la información, y a los estímulos insignificantes se superponen muy rápido los nuevos.

Segundo nivel de olvido

Lo que uno ha captado no permanece en la memoria porque:

- Su capacidad se ha agotado.

- Nueva información ha desplazado a la existente (cuanto más parecido al material conocido sea el nuevo, más probable la mezcla, es decir la confusión, entre ambos al intentar aprender, o sea recuperar, alguno).

- No le fue posible sostener la atención el suficiente tiempo.

Tercer nivel de olvido

No se puede extraer la información de la memoria por la dificultad de recobrarla allí.

Uno está seguro de que conoce el dato: lo tiene "en la punta de la lengua". También fracasa la recuperación cuando no se encuentra la "dirección" desde donde se imparte la orden. Las huellas impresas en la memoria se van borrando hasta desaparecer cuando los contenidos no se utilizan.

Aprender y desaprender se corresponden recíprocamente. Ambos son necesarios para que uno pueda adaptarse de manera continua y dominar un entorno en permanente cambio.

Olvidar es, en la mayoría de los casos, "desaprender" por culpa de contenidos nuevos y actualizados. Por consiguiente, desaprender es indispensable para adaptarse a nuevas circunstancias vitales. De tener una "memoria perfecta", uno apenas podría seguirle el ritmo al progreso técnico, pues no podría manejar aparatos nuevos, por ejemplo, su nuevo teléfono móvil: no podría sacarse de la cabeza los menús, la disposición de las teclas, etc., de su primer celular.

La distracción

Cuando uno piensa en otra cosa —y está, por lo tanto, mentalmente ausente—, se le dificulta recibir información nueva. Todos tendemos a distraernos. A esto se suma que tal tendencia aumenta con la edad.

Aquella se manifiesta principalmente en las siguientes ocasiones:

- Cuando uno se encuentra en un ambiente familiar.

- Cuando uno realiza habitual y automáticamente algo que requiere poca atención y concentración.

- Cuando algo le llama la atención o uno se ocupa en otra cosa.

- Cuando no se resiste la presión fuerte.

El olvido por interferencia

Cuando varios sistemas de clasificación diferenciados se asemejan, es muy probable que a uno se le dificulte traer a la memoria sin titubeos la información correcta.

Esto puede suceder, por ejemplo, cuando se busca un nombre como Rosa María y no se recuerda otro que Ana María. Los recuerdos están estrechamente atados entre sí y a menudo se confunden. O también puede ocurrir que, estrenando cocina, uno no recuerde dónde ha guardado ciertas cosas concretas porque el sistema de la cocina anterior interfiere con la nueva clasificación.

Los recuerdos desfigurados

La rememoración depende siempre de quien rememora. Uno puede modificar inconscientemente algunas unidades de información en el afán de ajustar la totalidad a sus deseos.

Este tipo de rememoración selectiva puede observarse frecuentemente cuando alguien recuerda los "maravillosos viejos tiempos".

La represión de recuerdos

Uno puede reprimir y borrar de su conciencia recuerdos inquietantes o desagradables.

Las drogas, los medicamentos y el alcohol

Estos agentes pueden atacar la capacidad de rememoración. No obstante, si los excesos durante años no han ocasionado daños en el cerebro, la memoria puede recuperarse después de abandonar el consumo.

La enfermedad

La demencia

Este trastorno patológico de la memoria surge casi siempre en la vejez; la probabilidad de contraer esta enfermedad también aumenta con la edad. La modalidad más frecuente de la demencia es el mal de Alzheimer. Pero también otros procesos degenerativos del cerebro —como el mal de Parkinson, los infartos cerebrales y los trastornos metabólicos— pueden conducir a perturbaciones patológicas de la memoria.

Depresión

Junto a la demencia, la depresión también puede causar un déficit intelectual en la vejez. Sin embargo, al contrario de la demencia, esta merma de la memoria es reversible. Una vez tratada la depresión, el rendimiento de la memoria mejora notoriamente.

Cosas que retenemos con facilidad

- Los nombres de los parientes más queridos.
- Una cita importante y anhelada.
- La habilidad de leer y escribir.
- Historias, versos o canciones aprendidos alguna vez.
- La propia fecha de nacimiento.
- El pago del arriendo o de la hipoteca.
- La esencia de un interesante libro, artículo o programa de televisión.
- Habilidades físicas como montar en bicicleta o tejer.
- Actos rutinarios y hábitos.

Cosas que olvidamos rápidamente

- Dónde se encuentran ciertos objetos.
- Sucesos que no encajan dentro de la rutina.
- Cosas que uno no cree poder retener.
- Cosas que no se hacen con gusto.
- Nombres.
- Cosas insignificantes.
- Cosas fácilmente olvidables bajo estrés, cansancio o sensación de debilidad o enfermedad.
- Información aburrida.
- Fechas.

La curva del olvido según Ebbinghaus

Que uno se haya grabado con esfuerzo nuevos contenidos y los haya repetido hasta creer que jamás los olvidará no significa, infortunadamente, que la materia en cuestión se haya fijado definitivamente en la memoria. Al contrario: si uno desea rememorar lo recién aprendido después de más o menos media hora, comprobará que ha olvidado, en promedio, la mitad. Por suerte, la curva se va haciendo menos pendiente de allí en adelante, pero no más de aproximadamente la quinta parte de un contenido nuevo perdura de verdad en la memoria. Esto lo revelaron las investigaciones de Hermann Ebbinghaus (1850-1909), fundador de los estudios experimentales sobre la memoria y descubridor de la curva del aprendizaje y de la curva del olvido. Pero ¿cómo detener la fuerte tendencia a olvidar nuevos contenidos?

La curva del olvido según Ebbinghaus

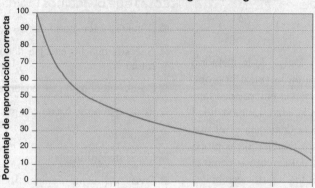

La curva del olvido según Ebbinghaus

Repetitio est mater studiorum!
¡La repetición es la madre del estudio!

Casiodoro

Para comenzar, debemos resignarnos a que parte de lo aprendido se pierda. Por tanto es indispensable rememorar lo nuevo tan pronto como sea posible. De modo que la primera rememoración debe tener lugar, por tarde, transcurridos veinte minutos, cuando todavía se dispone de 60% del material. Con ello se vuelve a lle-

var la totalidad de este al nivel del 100%. Si bien uno volverá a olvidar parcial-mente, la curva ya no será tan empinada como después de la primera codificación.

Ahora se puede dejar transcurrir más tiempo antes de volver a rememorar la materia.

Tales repeticiones son imprescindibles para que la mayor parte posible de lo aprendido se pueda recuperar.

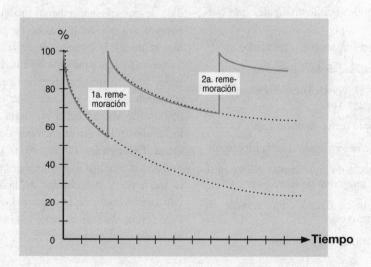

Bloque de ejercicios 7

Ejercicio 1

Percepción visual: original y falsificación

Las siguientes ilustraciones muestran una imagen original y, debajo, una falsificación. En esta se han cometido cinco "errores". ¿Cuáles son?

Original:

Falsificación:

Ejercicio 2

Antónimos

Escriba los antónimos de las siguientes palabras.

Por ejemplo:			Por ejemplo:		
Bueno	→	malo	Día	→	noche

Temprano	→		Altura	→	
Dulce	→		Inteligencia	→	
Negro	→		Alegría	→	
Encima	→		Codicia	→	
Dentro	→		Amigo	→	

Ejercicio 3

¿Qué va con qué?

Busque los términos que hacen juego.
Por ejemplo: mujeres famosas.

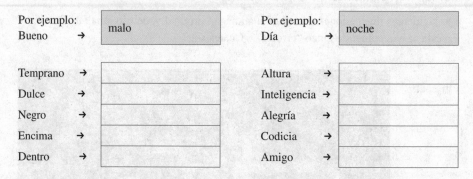

1.	Von Suttner		a)	Berta		A)	Científica
2.	Curie		b)	Marie		B)	Premio Nobel de la Paz

Soluciones: 1/a), B)   2/b), A)

Mujeres famosas:

1.	Kennedy Onassis		a)	Coco		A)	Bailarina exótica
2.	Schneider		b)	María Luisa		B)	Tenista
3.	Restrepo		c)	Natalia		C)	Cantante de jazz
4.	Calle		d)	Jacqueline		D)	Escritora
5.	Hari		e)	Stefanie		E)	Modelo
6.	Chanel		f)	Ella		F)	Actriz
7.	Graf		g)	Romy		G)	Diseñadora de modas
8.	Fitzgerald		h)	Laura		H)	Primera Dama
9.	París		i)	Mata		I)	Ciclista

Soluciones: 1/___ 2/___ 3/___ 4/___ 5/___ 6/___ 7/___ 8/___ 9/___

Ejercicio 4

Memorización de imágenes

Procure grabarse las siguientes imágenes de modo que pueda responder las preguntas.

Cubra las imágenes y responda las siguientes preguntas:

Diga el término genérico que abarca todas las cosas mostradas.

¿En qué categorías pueden clasificarse estas cosas?

¿Qué aparece representado más de una vez? ¿Cuántas veces?

¿Cuántas cosas verdes se representan? ¿Cuáles?

¿Cuántas cosas rojas se representan? ¿Cuáles?

¿Cuántas cosas amarillas/anaranjadas se representan? ¿Cuáles?

¿Qué cosas se representan (quizás hasta recuerde el orden en que están)?

Ejercicio de concentración

Cada cifra de 1 a 6 corresponde a un signo. Indique si los signos están correctamente ordenados. (Si quiere aumentar la dificultad, intente también memorizar la correspondencia entre números y signos cubriendo los dos renglones en que aparecen).

Se muestra la solución hasta el primer error.

Correspondencias correctas

1	2	3	4	5	6
V	*	X	©	O	∧

Renglones del ejercicio:

2	6	5	1	3	4	2	3	6	1	4	6	3	6	2
*	∧	O	V	X	@	*	O	@	V	©	∧	X	*	∧
✓	✓	✓	✓	✓	✗									

3	2	6	4	1	5	2	3	4	2	1	4	6	3	5
X	*	V	©	V	C	*	X	C	%	V	©	∧	X	O

5	4	6	1	2	5	2	3	1	6	2	5	4	3	6
C	®	∧	∧	*	O	X	%	V	∧	*	O	©	X	V

2	1	5	3	6	1	4	5	2	3	5	2	1	6	5
*	∧	Q	X	∧	V	©	O	@	Y	C	*	V	V	O

3	5	6	4	1	3	4	6	5	2	6	4	1	4	3
X	C	∧	@	Y	X	®	V	O	*	∧	©	V	C	X

Ejercicio 6

Encontrar palabras: fragmentos de palabras

A continuación se muestran únicamente la inicial y la última letra de una palabra. Encuentre palabras con sentido agregando letras entre ellas.

Ejemplo: B … N: botón, bien

Intente completar la siguiente disposición de letras:

Ñ … A:

Ñapa, _____

_____

_____

Relajación y actividad

" Es indispensable para el reposo del espíritu que de vez en cuando juguemos y hagamos bromas "

Tomás de Aquino

El estrés es veneno para el cerebro. Y cuando no se puede evitar, debe por lo menos intentarse combatirlo activamente. Cómo inducir esta distensión es asunto de cada individuo. Mientras que para algunos basta con "subir los pies al escritorio" o tomar una siesta al mediodía, otros se relajan de manera óptima caminando por ahí, escuchando música media hora o tomando unas vacaciones. Otras posibilidades son leer, bañarse, soñar despierto, consentirse en casa los fines de semana, acudir a aguas termales, etc.: hay diversos métodos de relajación que con frecuencia hacen milagros.

Por tanto, apague su centro intelectual y haga una pausa de vez en cuando. Su cerebro se lo agradecerá.

La capacidad de relajarse nace con cada persona y es, por consiguiente, un programa biológico siempre disponible cuya activación no requiere instrucciones especiales.

Sin embargo, los resultados no se hacen sentir automáticamente por sí mismos. Uno debe estar consciente de su estado de relajación y prepararse y disponerse interiormente para mejorarlo.

Por esto se precisa un acto de voluntad y concentración para que el programa antiestrés endógeno se inicie y funcione.

Asimismo hay que tener presente el factor tiempo, del que uno no cree disponer nunca. Por eso, cuando uno piensa que basta intercalar un par de ejercicios de vez en cuando o entre dos actividades para obtener una "dosis completa de relajación", no logrará gran cosa, especialmente si le cuesta trabajo hacer a un lado los pensamientos perturbadores. Toda gimnasia exige regularidad y la ejecución de los ejercicios correspondientes. Esto también es necesario para una relajación óptima.

Con el fin de obtener resultados saludables efectivos y duraderos, todo el mundo —en especial, las personas agobiadas por el estrés— debe hacer de ella un rito diario y ejecutar los ejercicios en un ambiente agradable y sosegado para alcanzar un verdadero estado de relajación.

Infortunadamente, esta condición de relajamiento no es acumulable para, en caso de necesidad, hacer "retiros" de la misma. Igualmente, los efectos de la relajación apenas son momentáneos. Hay que admitir que lo mismo sucede, mientras duran, con el bienintencionado propósito "en vacaciones me distensionaré por completo" y que su efecto no se extiende mucho más allá.

Nuestro cuerpo reacciona al estrés con gran sensibilidad. Cuando se cruza el umbral de control del estrés, el cuerpo emite el mensaje de que hay que relajarse. Uno no debe ignorar estas señales, pues a la larga su salud no se lo agradecerá. El cuerpo se proporciona a sí mismo el tiempo que necesita, y consigue a la fuerza, por sí solo, su descanso. El sistema inmunitario se debilita y, tras lapsos de estrés, uno está más propenso a contraer resfriados o gripas. ¡Busque usted, entonces, momentos oportunos de placidez y relajación!

No solo es la relajación la compensación natural del estrés del cuerpo, sino que sus efectos benéficos también se extienden al ámbito psíquico: los problemas son más fáciles de resolver, resulta más sencillo abandonar caminos trillados de pensamiento y es menos trabajoso superar conflictos.

Igualmente, la relajación es la base del crecimiento intelectual y psíquico, y resulta provechosa para los procesos de concentración y aprendizaje. Por esta razón constituye un punto muy importante de la gimnasia de la materia gris. Por culpa del estrés —y con frecuencia uno mismo se lo impone— se producen bloqueos mentales y lagunas de memoria. Con seguridad, usted ha enfrentado esta situación en algún examen oral: es lo que llaman "blanquearse". Si logra relajarse, las respuestas vuelven a ocurrírsele sin problemas.

No obstante, relajarse no significa descansar físicamente solo u holgazanear. Si usted permanece sentado varias horas al día, naturalmente no necesita más reposo físico. En tal caso, una corta caminata sería mucho más efectiva. Por el contrario, si a lo largo del día usted corre de actividad en actividad y se ve obligado a permanecer de pie mucho tiempo, debe intercalar pausas de reposo en las que pueda normalizar las funciones corporales.

También es posible librarse del lastre a través del deporte. Muchas personas afirman que las mejores ideas se les han ocurrido mientras caminaban o trotaban. Esto se debe a que las regiones cerebrales que controlan la marcha son vecinas inmediatas de las que se responsabilizan de los procesos mentales. En principio, toda actividad deportiva le sirve al cerebro

para librarse de información-lastre superflua y funcionar mejor en lo sucesivo.

Como consecuencia de las diferentes necesidades de cada persona, todas tienen su propia manera de relajarse. Lo que para una es facilísimo, para otra tardará mucho en ser el camino ideal a la relajación. Por ello, consulte a su cuerpo y atienda sus señales, como cansancio, nerviosismo y depresión. Indague las diversas reacciones de su cuerpo ante las diferentes opciones de relajación y encuentre así su método individual preferido.

¿Cuánta relajación necesita una persona?

El principio de moderación o del justo medio es lo indicado. El ser humano no soporta nada que dure demasiado. Conque solo es cuestión de tiempo que un exceso de trabajo, esfuerzo, premura o presión física y psíquica se manifieste en forma de síntomas corporales.

Por otra parte, en ocasiones, el estrés puede percibirse como algo positivo; por ejemplo, cuando lo incita a uno a mejorar su rendimiento (= estrés bueno). Pero cada persona establece de manera absolutamente individual, evaluando los hechos, si determinada situación ha de percibirse como "estresante" en sentido negativo (= estrés malo). De esto dependerá cuánta relajación necesita una persona.

Viaje en sueños

1. La música relajante o sonidos de la naturaleza grabados en un CD, por lo general, no perturban la relajación sino

que, por el contrario, pueden ser muy útiles para alcanzarla y sostenerla.

2. Cada cierto tiempo, oscurezca brevemente la habitación para que no penetre la deslumbrante luz solar. De esta manera no se distraerá tan fácilmente.

3. Busque un lugar acogedor y póngase cómodo en él. Acuéstese allí, ponga un cojín bajo su cabeza y cierre los ojos.

4. Imagine un sitio adonde pueda escapar de la triste rutina y eche a volar sus pensamientos en un viaje de ensueño, totalmente a su gusto.

Ejercicios fáciles para la columna vertebral

Fuente: GT-Aktiv 2003/II (artículo de Maria Pommer)

1. De puntillas

Levante alternadamente los pies y tóquese ligeramente cada uno con la mano contraria.

2. Natación en tierra

Mueva los brazos como nadando al estilo crol.

3. La rana

Flexione las rodillas apoyándose en los brazos y doblando el tronco ligeramente hacia adelante.

4. Cola y piernas

Apoye los brazos en el asiento y levante y baje simultáneamente las nalgas y cada pierna.

5. Tira y afloja

Levante alternadamente cada rodilla y tire de ella con la mano contraria.

6. XL

Extienda los brazos lo más separados posible con un pulgar apuntando hacia arriba y el otro hacia abajo, por turnos.

El Foot-Power

Fuente: GT-Aktiv 2004/I (artículo de Beatrix Bischof)

Programa de mimo para los pies, los cuales lo llevan de un lado a otro durante toda la vida.

Hágale gimnasia a los dedos de sus pies:

- Siéntese, estire las piernas hacia adelante y flexione y enderece alternadamente los pies.

- Ponga objetos pequeños (lápices, canicas, etc.) en el suelo y recójalos únicamente con los dedos de los pies.

- Dóblese y tuérzase alternadamente los dedos de los pies.

Hágase la pedicura

Regálese un masaje en los pies

Dese el lujo de mandarse hacer un masaje reflexológico o compre rodillos con protuberancias para los pies.

Dese un tibio baño de pies

Después aplíquese crema generosamente tomándose su tiempo y masajéelos intensamente con presión suave.

Regálese un fino par de calcetines o medias

Camine descalzo tanto como le sea posible

Junte las manos para romper bloqueos mentales

Fuente: GT-Aktiv 2004/II (artículo de Elfriede Bauer-Pösendorfer)

Este pequeño ejercicio favorece el raciocinio y activa simultáneamente las dos mitades del cerebro para que cooperen entre sí. Es muy importante adoptar una posición erguida. Así se consigue una profunda respiración abdominal.

Junte las manos repetidamente de manera que una vez el pulgar derecho quede encima y la siguiente lo haga el izquierdo.

El palmeo

El palmeo ayuda a la relajación de los ojos.

Así se hace:

Frótese las manos un corto tiempo para que se calienten.

Colóquelas paralelas y ligeramente arqueadas sobre sus ojos cerrados sin rozar las pestañas.

Las yemas de los dedos reposan en la frente y los meñiques se rozan. No apriete los párpados.

Intente relajarse durante uno o dos minutos y desconecte completamente sus pensamientos. Respire de forma sosegada y regular.

En las breves pausas de reposo que haga, por ejemplo cuando trabaje frente a un monitor, usted también puede ejecutar este ejercicio de pie y relajar simultáneamente la espalda.

Ejercicio respiratorio meditación con respiración relajación con concentración

Siéntese o recuéstese cómodamente, de tal manera que se sienta lo mejor posible, y cierre los ojos.

Preste atención a su respiración y perciba cómo el aire entra y sale por la nariz o la boca, y fíjese en las diferencias entre la inhalación y la exhalación.

Inhale profundamente y sienta el movimiento del aliento en su vientre.

Fíjese en cómo el aire hace subir y bajar las paredes abdominales y déjese mecer por este relajante ritmo.

Suelte todo el aire y sencillamente mantenga el ritmo respiratorio que se establezca por sí mismo.

Limítese a percibir cómo el aire hace subir y bajar las paredes abdominales.

Fíjese en cuán despacio y regularmente respira.

Ahora salga lentamente de este estado de placidez y relajación, pero sabiendo que puede volver a él en cualquier momento.

Tómese su tiempo. Inhale y exhale hondo tres veces. Al hacerlo, mueva dedos, manos y brazos y vaya volviendo a su estado normal.

Ahora mueva los dedos de los pies y los pies mismos y vuelva por completo a la normalidad.

Ahora abra los ojos y reubíquese en el aquí y el ahora mientras se siente tan tranquilo y relajado como si estuviera dormido.

Tómese más tiempo para regresar del todo y para desperezarse debidamente y escoja una manera delicada y, a lo mejor, desacostumbrada de reanudar sus labores.

Viaje por su cuerpo

Siéntese o recuéstese cómodamente, de tal manera que se sienta lo mejor posible, y cierre los ojos.

Viaje por las siguientes regiones de su cuerpo, prestando toda la atención posible:

- Piernas y pies.
- Pelvis.
- Vientre.
- Espalda y músculos de su parte superior.

- Brazos y manos.
- Hombros, nuca y cuello.
- Cabeza.

¿Qué se siente en cada una?

¿Qué textura tiene cada una?

¿Qué experimenta usted?

Fíjese en si su sensación es de:

- Dureza o blandura.
- Aspereza o tersura.
- Frío o calor.

¿Qué siente usted en cada región?

Fíjese también en el grado de tensión del momento.

El ocho acostado

Este ejercicio puede realizarse sentado o de pie. Estire los dos brazos y tóquese los dedos.

Dibuje un ocho acostado en el aire. Cerciórese de hacerlo de adentro hacia afuera y del medio hacia arriba, no hacia abajo, pues así se le exige menos al cerebro.

Siga el movimiento con la mirada, pero mantenga inmóvil la cabeza.

Bloque de ejercicios 8

Ejercicio 1

Ilusión óptica

¿Son iguales de largas las
líneas horizontales?

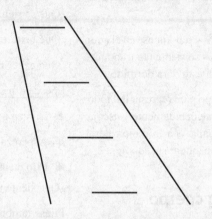

Ejercicio 2

Refranes

¡En los siguientes refranes hay errores!

A camello regalado no se le mira el colmillo.

_____

Burro viejo late echado.

_____

Nadie sabe la sed con que otro come.

_____

Al que trasnocha, Dios le ayuda.

_____

Al caballo, por los cachos.

_____

Nadie es doctor en su tierra.

_____

Ejercicio 3

¿Qué va con qué?

Busque los términos que hacen juego.
Por ejemplo: escritoras y sus obras.

1	Laura Restrepo	a	Hilo de sangre azul
2	Patricia Lara	b	Dulce compañía

Soluciones: 1/b   2/a

Directores de cine y sus películas:

1	Stanley Kubrick	a	Edipo alcalde
2	Bernardo Bertolucci	b	Pandillas de Nueva York
3	Jorge Alí Triana	c	Los siete samuráis
4	Volker Schlöndorff	d	El último emperador
5	Akira Kurosawa	e	La naranja mecánica
6	Martin Scorsese	f	El tambor de hojalata

Soluciones: 1/__   2/__   3/__   4/__   5/__   6/__

Ejercicio 4

Ejercicio de concentración: RISIBISI

¿Dónde está escondida la palabra RISIBISI?

RISIBISIRIHAOSLJKZZRISIBISITOMATEKIÑJHOJHIELGSLHFISIBISIRN-
CUEDPRISIBISIRISIBISIKSÑÑMERMELADAVDTYABHJKDFBVVDTSMVKJD-
KDRISIBISIRIBISFKBLZKBNDOPTIUGNAVPITHFOWGFOMANZANARRISI-
BISILKHCAÑJHUSTISIBISDNCIWQGGVBOSYDEMIODGMAGUACATEDRISI-
BISIRIBIJNHPOYSNGNNGDUSSBISIRIDIKHGOMANDARINAJYUIRISIBISEL

Ejercicio 5

Revoltijo de letras

Procure recordar las letras en el orden en que aparecen.

Cada cuadrado de letras contiene el nombre de un país. Atención: ¡es obligatorio emplear todas las letras de cada cuadrado!
Por ejemplo:

P	A	T
O	U	
L	G	R

Solución: Portugal

O	I	L
C	B	
A	O	M

		N
M	P	A
	A	A

M	G	T
A	A	A
E	L	U

1. _____ 2. _____ 3. _____

Ejercicio 6

Juegos de palabras complejos: varios significados

Una palabra puede tener varios significados. Halle el término que corresponda a las dos descripciones dadas.

Ejemplo: Unas veces es una vasija cilíndrica pequeña; otras, una embarcación sin cubierta →   Bote

1. Unas veces alumbra; otras, no duerme. → _____

2. Unas veces nada; otras, impermeabiliza. → _____

3. Unas veces da energía; otras, recibe agua. → _____

4. Unas veces embriaga; otras, asistió. → _____

5. Unas veces es una prenda; otras, una vertiente. → _____

6. Unas veces corta madera; otras, hay que escalarla. → _____

7. Unas veces es una fruta; otras, una empuñadura. → _____

Ejercicio 7

Reorganización de palabras / construcción de palabras nuevas "palabras dentro de palabras"

Con letras de la palabra dada construya tantas palabras nuevas como le sea posible. Se puede modificar el orden de las letras.

INCONSTITUCIONALIDAD

_____

_____

_____

Consejos para todos los días

" La mala memoria es la madre del orden. "

Manfred Hinrich, Dr. Fil.

Hay muchas posibilidades de mejorar el desempeño de las neuronas. El abanico de posibilidades es casi infinito y se extiende desde tomar cursos de idiomas, pasando por intentar leer revistas en lenguas extranjeras, hasta resolver rompecabezas y acertijos.

Pero también jugar al ajedrez o escribir un diario mantiene en forma la materia gris. Y tanto una sana curiosidad como intereses siempre cambiantes son igualmente provechosos. Finalmente, uno siempre debe estar dispuesto a asimilar nuevas impresiones. Por ende: evite la monotonía y apréstese a probar siempre lo nuevo.

Organice su cotidianidad

Haga listas

Por ejemplo, lista de:

■ Compras.

■ Reparaciones domésticas.

■ Artículos de equipaje.

■ Mudanzas.

■ Preguntas por formularle al médico.

■ Números telefónicos importantes.

■ Cumpleaños importantes.

Atención:

■ Las listas deben guardarse siempre en el mismo lugar para que sean fáciles de encontrar.

■ Las listas deben elaborarse de tal manera que sea fácil leerlas (hojas grandes).

■ Los elementos de listas largas deben organizarse por grupos.

Utilice agendas y libretas de apuntes.

Memorice conscientemente secuencias

Este método posibilita concentrarse mejor utilizando simultáneamente varios órganos de los sentidos (habla, vista, oído, olfato, tacto).

Ejemplos:

■ Revise sus electrodomésticos, uno por uno, antes de salir de la casa.

■ Revise el contenido de su bolso o su bolsillo (dinero, boleto, pastillas, llaves, gafas, libreta, etc.).

■ Revise su automóvil antes de cerrarlo con llave y dejarlo estacionado (que no se queden las llaves, que las luces estén apagadas, etc.).

Mantenga el orden

Todo debe tener un sitio fijo

- Las gafas que ya no se usan.
- Las llaves.
- Las prótesis dentales.
- Los medicamentos.
- Las cartas por responder.
- Los documentos comerciales que no desee olvidar.
- Los recibos de pago.
- Las facturas.
- Los papeles y documentos importantes.

Hábitos

- Tomar los medicamentos a sus horas.
- Hacer el oficio doméstico determinados días de la semana.
- Usar alarmas para recordar ciertas cosas.

Consideraciones finales

¿Le resulta conocida esta situación?:

*Un hombre que conversaba con otro sobre lo divino y lo humano tenía que interrumpirse constantemente, ¡pues no recordaba ningún nombre!
—¿Cómo era que se llamaba ese tipo? Usted sabe de quién hablo… El que tenía una…, una…, ¿cómo se llama esa cosa? Bueno: el fulano aquel que tenía una cosa de esas…, ¡se murió ayer!*

Eugen Roth

Para que esto no le suceda y para que su intelecto y su memoria no dejen de funcionar no se requieren actividades aburridoras.

El programa de entrenamiento para estar intelectualmente en forma no debe desarrollar sus recursos intelectuales mediante la coerción, sino con humor y creatividad para mejorar la capacidad del cerebro, pues...

No hay buena ni mala memoria: ¡hay memoria ejercitada o sin ejercitar!

Bloque de ejercicios 9

Ejercicio 1

Acertijos con refranes

¿A qué refranes se refieren las siguientes paráfrasis?

Hay que asumir los problemas como se presentan y tratar de resolverlos pronto.

No se puede juzgar la conducta de otra persona sin conocer sus circunstancias.

_____

_____

Es muy fácil equivocarse hablando.

Todos morimos precisamente el día en que morimos.

_____

_____

Ejercicio 2

Ordenar el caos

Ordene por grupos los siguientes términos y asígnele a cada grupo un nombre genérico apropiado.

Por ejemplo: pícea, haya, abeto, aliso   **Coníferas**   **Árboles de fronda**

Pícea, abeto   Haya, aliso

Ordene los siguientes términos en grupos lógicos: orégano, cúrcuma, nuez moscada, violeta, cebollín, margarita, pimienta, perejil, albahaca, lirio, curry, rosa, hepática, eneldo, cardamomo.

_____

_____

_____

_____

_____

Ejercicio 3

Recordar textos/historias

Trate de grabarse bien los detalles de la siguiente historia para que, cuando se le presente en desorden, pueda ordenarla.

La historia original

Rutina oficinesca

El señor Jiménez, el jefe, conversa por teléfono con los clientes nuevos.

La señora Quintana, la secretaria, digita, muy atenta, la correspondencia del día.

Martín, el aprendiz, copia, muy aburrido, un montón de documentos.

Doña Sarita, la señora del aseo, agita, tarareando, la escoba.

El portero saluda cortésmente a los clientes.

Don Ricardo, el conductor, lava cuidadosamente el automóvil.

Chéster, el perro del jefe, duerme profundamente en su cesta.

Ahora ponga orden a la historia revuelta.

La historia revuelta

Caos en la rutina oficinesca

El señor Jiménez, el jefe, duerme profundamente en su cesta.

La señora Quintana, la secretaria, saluda cortésmente a los clientes.

Martín, el aprendiz, lava cuidadosamente el automóvil.

Doña Sarita, la señora del aseo, conversa por teléfono con los clientes nuevos.

El portero agita, tarareando, la escoba.

Don Ricardo, el conductor, digita, muy atento, la correspondencia del día.

Chéster, el perro del jefe, copia, muy aburrido, un montón de documentos.

Ejercicio 4

Ejercicio de concentración: caracteres dobles

Encuentre las cifras con dígitos duplicados y táchelas.

Ejemplo: 56 27 ~~66~~ 13 21 34 09 10 ~~55~~ 86 31 48 ~~77~~ 41

76 54 98 31 07 00 22 66 61 58 82 83 79 64 25 53 23 87 86 97 11 24 38 43 17 68 77 93 37 49
80 54 43 11 05 99 90 73 67 57 46 38 28 30 10 13 82 89 13 27 36 48 99 12 14 80 75 28 32 80
49 64 95 08 15 29 23 39 79 81 89 96 36 34 66 40 63 81 22 35 68 51 25 29 88 56 49 13 51 65
77 87 98 01 00 16 37 61 48 93 22 19 59 71 66 27 43 73 67 57 46 38 28 30 10 4 98 31 07 00

Ejercicio 5

Encontrar palabras por temas

Hay que encontrar palabras que, comenzando con las iniciales dadas, aludan a un mismo tema.

Escriba tantos nombres de alimentos como se le ocurran, que comiencen con las iniciales respectivas.

N: _____

A: _____

H: _____

R: _____

U: _____

N: _____

G: _____

S: _____

M: _____

I: _____

T: _____

T: _____

E: _____

L: _____

Bloque de ejercicios 10

Ejercicio 1

Ilusión óptica

¿Son de un mismo gris todos los puntos de la fila?

Ejercicio 2

Revoltijo de refranes

¿Qué pares de refranes se mezclan en las siguientes oraciones?

Quien mal anda, vida nueva.

Esto no es soplar sin mirar a quién.

Las apariencias hacen leña.

El que busca, muere el pez.

Ejercicio 3

Forasteros

¿Qué término desentona? Tache el forastero y trate de explicar qué lo hace serlo.

Por ejemplo:

Pepino	Calabacín	Apio	Tomate	Puerro

→ Los tomates no encajan porque no son hortalizas verdes.

1.

Ciclomotor	Bicicleta	Patineta	Monopatín	Patines

→ _____

2.

Volkswagen	Audi	Opel	Kawasaki	Ford

→ _____

3.

Cebollín	Perejil	Orégano	Nuez moscada	Albahaca

→ _____

Ejercicio 4

Anagramas: revoltijo de letras

¡A continuación, las letras aparecen algo revueltas! Ordénelas para leer las expresiones correctas. Luego llene las casillas y obtenga la solución vertical. Tema: el clima.

1. RAMUB

2. ORAGAUCE

3. TINCEAVS

4. DAJUDME

5. ÑOOOT

6. NIEVINOR

7. RATODON

8. VLINLAZO

9. OSMATRENT

10. XEGIONO

11. QUEASI

12. SAERAM

Palabra solución: _____

Preguntas y respuestas

¿Cómo se titula el drama de amor más famoso de la historia de la literatura?

¿Dónde vive el Papa?

_____

_____

¿Qué llevaba puesto el Renacuajo Paseador?

¿Cómo se llama el pequeño amigo de Óbelix?

_____

_____

¿Qué tiene la Medusa en la cabeza?

_____

Bloque de ejercicios 11

Percepción visual: original y falsificación

Las siguientes ilustraciones muestran una imagen original y, debajo, una falsificación. En esta se han cometido cinco "errores". ¿Cuáles son?

Original:

Falsificación:

Refranes

Encuentre el error en los siguientes refranes.

Del árbol caído todos hacen fósforos.

_____

Haz el amor sin mirar a quién.

_____

Más vale cabeza de león que cola de ratón.

_____

Cuando manda capitán no manda marinero.

_____

Tanto va el cántaro al mar hasta que por fin se rompe.

_____

Del hecho al trecho hay mucho dicho.

_____

Ejercicio 3

¿Qué va con qué?

Encuentre, en las tres columnas de la derecha, el término que corresponda a cada palabra de la columna izquierda. Para ello hay que reflexionar sobre la relación entre ambas nociones.

Por ejemplo:

Perro	Avispa	Cachorro	Jamelgo

Pez	Ballena	Calamar	Salmón
Bogotá	Torre Eiffel	Monserrate	India Catalina
Diciembre	Natilla	Churrasco	Arroz chino
México	Mariscos	Pizza	Enchiladas
Aruba	Mar Negro	Mar Caribe	Mar de los Sargazos
Romeo y Julieta	Shakespeare	Molière	Schiller
Santa Marta	Guadalupe	El Rodadero	El Peñón
Andersen	El patito feo	Hansel y Gretel	El gato bandido
Tiburón	Océano	Arroyo	Estanque
Caloto	Valle del Cauca	Cauca	Risaralda
Salzburgo	Mozart	Beethoven	Wagner
Ternero	Vaca	Cabra	Caballo
Monte Everest	Andes	Himalaya	Alpes
Henri Dunant	Cruz Roja	Grupos sanguíneos	Penicilina
Automóvil	Chimenea	Escape	Cañón
Luxor	Volga	Danubio	Nilo
Australia	Ohio	Queensland	Ghana
Euro	Centavo	Chelín	Dólar
Mozart	Nabucco	Fidelio	La flauta mágica
Mecánico	Montacargas	Aguja	Cepillo
Musulmán	Yavé	Alá	Buda

Ejercicio 4

Recordar textos/diálogos

Trate de grabarse bien los detalles de la siguiente conversación para que pueda responder las preguntas planteadas al final.

Situación 1:

Sra. Urquijo:	Un Sr. Guerrero le dejó un mensaje.
Sr. Torres:	Sí, lo estoy esperando.
Sra. Urquijo:	Se retrasará más o menos 45 minutos.
Sr. Torres:	¿Cómo así que 45 minutos? Bueno, gracias de todas maneras.

Situación 2:

Sra. López:	¡Sr. Perea, un momento, por favor!
Sr. Perea:	Sí. ¿Qué pasa?
Sra. López:	La Sra. Pinzón llamó. Me pidió que le dijera que si le da plazo hasta mañana. Que ella lo busca al mediodía.
Sr. Perea:	¿Dijo que le devolviera la llamada?
Sra. López:	No, no es necesario.

Situación 3:

Sr. Rodríguez:	Disculpe. ¿Está el Sr. Chávez en su oficina?
Sra. Iriarte:	No, pero después de las 2:00 p.m. lo encuentra.
Sr. Rodríguez:	¿Puedo dejarle un mensaje con usted?
Sra. Iriarte:	Cómo no.
Sr. Rodríguez:	Dígale, por favor, que me llame. Mi apellido es Rodríguez. El Sr. Chávez tiene mi número.

Preguntas sobre las conversaciones:

¿Quién le dejó un mensaje al Sr. Torres?

¿Más o menos cuán retrasado está?

¿Qué mensaje debe dar la Sra. López?

¿Quién buscará al Sr. Perea, y cuándo?

¿Quién necesita al Sr. Chávez?

¿A qué horas está el Sr. Chávez?

¿Puede el Sr. Chávez contactar a quien lo busca?

Ejercicio 5

Ejercicio de concentración

Madrigal (Gutierre de Cetina, 1520-1557)

Lea el texto y supla las vocales que faltan.

_j_ s _cl_r_ s, s_r _n_s,

s_ d_n d_lc_ m_r_r s_s _l_b_d_s,

¿p_r q_, s_ m_ m_r_s, m_r_s _r_d_s?

S_, c_nt_m_s p_d_s_s,

m_s b_ll_s p_r_c_s _ _q_l q_ _s m_r_,

n_ m_ m_r_s c_n _r_,

p_rq_ n_ p_r_zc_s m_n_s h_rm_s_s.

¡_y, t_rm_nt_s r_b_s_s!

_j_s cl_r_s, s_r_n_s,

y_ q_ _s_ m_ m_r_s…, ¡m_r_dm_, _l m_n_s!

Ejercicio 6

Anagramas chistosos: revoltijo de letras

Menú: para saber qué plato ha pedido cada persona hay que trasponer acertadamente las letras de su nombre.

Cuidado: ¡es obligatorio usar todas las letras!

Por ejemplo:

DON GNOMO
MONDONGO

CAJIAO

CANCHOSO

LA NOCHE

LA ZUECA DE MIS ROCAS

Ejercicio 7

Encontrar palabras: fragmentos de palabras

A continuación se muestran únicamente la inicial y la última letra de una palabra. Encuentre palabras con sentido agregando letras entre ellas.

Ejemplo: B ... N: botón, bien

Intente completar la siguiente disposición de letras:

L ... O:

Loco, _____

_____

_____

Soluciones

Bloque de ejercicios 1

Ejercicio 3

Colores de cabello	Estados de ánimo	Movimientos
Rubio	Jovial	Brincar
Marrón	Furioso	Saltar
Castaño	Contento	Correr
Rojo	Alegre	Caminar
Negro		Trotar
		Andar

Ejercicio 5

Por la flor

Un hombre cuida el ornamento de su cuarto,
un pequeño rosal, con avidez.
Lo riega todos los días sin cansarse,
ya lo saca a la luz, ya lo guarda a la sombra,
refresca a los caballos con frutas húmedas,
poda meticulosamente cada retoño.
Sin embargo se ha muerto lo que le era tan querido.

Es fácil captar la moraleja de esto:
¡hay que dejar crecer las cosas!

Ejercicio 6

Triacaidecafobia (= terror irracional al número 13)

Acaecido, Arabia, boca, becario, caída, cadera, café, catre, caricia, diario, decir, foca, rabia, rico, tráfico, etc.

Ejercicio 7

1. Gato
2. Pelo
3. Sirena
4. Sal
5. Libra
6. Rico

Ejercicio 8

Abiertamente, aborrecible, amigable, antílope, arre, accidente, aceite, aprendizaje, acomodarse, aeroterrestre, alcahuete, etc.

Real, riel, Raúl, rabanal, radical, rosal, rabel, raudal, Rafael, Raquel, ramal, rímel, etc.

Bloque de ejercicios 2

Ejercicio 2

Bombos y platillos	Grandes y chicos
Blanco y negro	Cielo y tierra
Luz y sombra	Noche y día
Cuerpo y alma	Sal y pimienta
Santo y seña	Pan y agua
Vida y obra	Sano y salvo
Puño y letra	Genio y figura

Ejercicio3

Dinero – moneda – euro, centavo, chelín

Joya – cadena – pulsera, collar, leontina

Parte del cuerpo – dedo – índice, anular, pulgar

Hortaliza – tomate – chonto, milano, cherry

Felino – gato – siamés, angora, egipcio

Mueble – mesa – de centro, plegable, redonda

Ejercicio 4

Pablo
Andrea
Roberto
Margarita
Claudia
Ernesto
Ángela
Mauricio
Carolina
Javier

Ejercicio 5

1. Para producir corriente eléctrica.
2. Operaciones aritméticas.
3. Cuando se cierra un circuito.
4. La licuadora.
5. Conduce el rayo a tierra.

Ejercicio 6

Cara	COL	esterol
Por	TAL	ego
Ultra	MAR	garita
Cian	URO	logo

Ejercicio 7

Alma, álamo, amo, amada, dama, doma, lama, lado, modal, malo, moda, oda, etc.

Bloque de ejercicios 3

Ejercicio 1

Ejercicio 2

A caballo regalado no se le mira el colmillo.

Una golondrina no hace verano.

Muerto el perro se acabó la sarna.

Al toro, por los cuernos.

No hay moros en la costa.

El que se mete a redentor muere crucificado.

Deme plata y no consejos.

Quien canta, las penas espanta.

Quien tiene boca se equivoca.

No hay peor sordo que el que no quiere oír.

Soldado prevenido no muere en guerra.

La ambición rompe el saco.

Al pan, pan; y al vino, vino.

El que no llora no mama.

La pereza es la madre de todos los vicios.

Más vale pájaro en mano que ciento volando.

Nadie se muere la víspera.

Mucho ruido y pocas nueces.

Aténgase y no corra.

El ladrón juzga por su condición.

Ejercicio 3

Brócoli – hortaliza – zanahoria, tomate, lechuga, acelga

Francia – país – España, Italia, Colombia, China

Piano – instrumento (musical) – violín, guitarra, flauta, conga

Agua – bebida (no alcohólica) – jugo, té, café, gaseosa

Plancha – electrodoméstico – aspiradora, televisor, licuadora, lavadora

Ejercicio 4

Sí = IS

Sal = LAS

Lata = ATAL

Alfombra = ARBMOFLA

Billete = ETELLIB

Pendencia = AICNEDNEP

Dirección = NOICCERID

Auto = OTUA

Blusa = ASULB

Mochila = ALIHCOM

Software = ERAWTFOS

Dinosaurio = OIRUASONID

Ejercicio 6

Alegar, armar, ardor, agonizar, atardecer, amor, almacenar, azur, amanecer, ahuyentar, etc.

Bloque de ejercicios 4

Ejercicio 2

A caballo regalado no se le mira el colmillo.
Pelearse como perros y gatos.
Una golondrina no hace verano.
Más vale pájaro en mano que ciento volando.
No matar una mosca.
Aquí hay gato encerrado.
Perro que ladra no muerde.
A otro perro con ese hueso.
Cría cuervos y te sacarán los ojos.
Gato con guantes no caza ratones.
Quedar como mosca en leche.
Quien con lobos anda, a aullar aprende.
El mono sabe en qué palo trepa.
Cada oveja con su pareja.

Ejercicio 3

Pino – es una conífera

Martín – es nombre de hombre

Johann Sebastian Bach – es un músico alemán

Plácido Domingo – es un tenor

Ejercicio 5

Diario, barba, Irán, creer, abrir

Ejercicio 6

Marco
Marca
Barca
Barra
Garra

Ejercicio 7

Gran Bretaña
Dinamarca
Austria
Polonia
España

Bloque de ejercicios 5

Ejercicio 1

Ejercicio 2

Perro que ladra no muerde.

Los niños y los locos dicen la verdad.

El que tiene boca se equivoca.

Cada loco con su tema.

Ejercicio 5

Carne asada

Sobrebarriga al horno

Trucha al ajillo

Bandeja paisa

Ejercicio 3

Novelistas y sus novelas

1/e
2/f
3/c
4/a
5/b
6/d

Ejercicio 6

Microbio

Utopía

Sancocho

Madrina

Motocicleta

Glosa

Bloque de ejercicios 6

Ejercicio 2

A caballo regalado no se le mira el colmillo.
Perro que ladra no muerde.

Más vale pájaro en mano que ciento volando.
De tal palo, tal astilla.

A veces pagan justos por pecadores.
Cada oveja con su pareja.

Para lo que hay que ver, con un ojo basta.
Ojos que no ven, corazón que no siente.

De noche, todos los gatos son pardos.
Al que madruga, Dios lo ayuda.

Ejercicio 3

Cubierto – cuchara – cucharilla, cucharón, dulcera

Líquido – agua – mineral, de manantial, bendita

Fruta – manzana – chilena, asperiega, golden

Ropa – pantalón – de paño, bluyín, bombacho

Vehículo – auto – Volkswagen, Opel, Mercedes, BMW

Mamífero – félido – gato, tigre, león, lince

Ejercicio 4

Arvejas

Trigo

Mojarra

Calabaza

Ejercicio 5

Lagos, cogerla, igual, agotamos, aguacate

Ejercicio 6

1. Ganar	es a	perder	como	recordar	es a	olvidar
2. Oír	es a	oreja	como	saborear	es a	boca
3. Brócoli	es a	hortaliza	como	salmón	es a	pez
4. Pasta	es a	cocinar	como	carne/pollo	es a	asar
5. Hambre	es a	comida	como	sed	es a	agua

Ejercicio 7

Tigre de Bengala	Piel de serpiente
Oveja negra	Ancas de rana
Caballo bayo	Mercado de las pulgas
Gato montés	Trinos de pájaro
Gallo de pelea	Riña de gallos
Halcón blanco	Patada de mula
Rata canguro	Trompa de elefante
Oso polar	Corrida de toros
Toro de lidia	Rata canguro

Bloque de ejercicios 7

Ejercicio 1

Ejercicio 2

Temprano → tarde

Dulce → amargo

Negro → blanco

Encima → debajo

Dentro→ fuera

Altura → profundidad

Inteligencia → estupidez

Alegría → tristeza

Codicia → modestia

Amigo → enemigo

Ejercicio 3

1/d), H)

2/g), F)

3/h), D)

4/b), I)

5/i), A)

6/a), G)

7/e), B)

8/f), C)

9/c), E)

Ejercicio 5

2	6	5	1	3	4	2	3	6	1	4	6	3	6	2
*	Λ	O	V	X	@	*	O	@	V	©	Λ	X	*	Λ
				✗		✗	✗						✗	✗

3	2	6	4	1	5	2	3	4	2	1	4	6	3	5
X	*	V	©	V	C	*	X	C	%	V	©	Λ	X	O
		✗			✗		✗	✗						

5	4	6	1	2	5	2	3	1	6	2	5	4	3	6
C	®	Λ	Λ	*	O	X	%	V	Λ	*	O	©	X	V
✗	✗		✗			✗	✗							✗

2	1	5	3	6	1	4	5	2	3	5	2	1	6	5
*	Λ	Q	X	Λ	V	©	O	@	Y	C	*	V	V	O
	✗	✗						✗	✗	✗		✗		

3	5	6	4	1	3	4	6	5	2	6	4	1	4	3
X	C	Λ	@	Y	X	®	V	O	*	Λ	©	V	C	X
	✗		✗	✗		✗	✗					✗		

Ejercicio 6

Ñagaza, ñangada, ñaña, ñapanga, ñisca, ñera, ñoca, ñoña, ñorda, ñublosa

Bloque de ejercicios 8

Ejercicio 2

A caballo regalado no se le mira el colmillo.

Perro viejo late echado.

Nadie sabe la sed con que otro bebe.

Al que madruga, Dios le ayuda.

Al toro, por los cachos.

Nadie es profeta en su tierra.

Ejercicio 3

Directores de cine y sus películas

1/e, 2/d, 3/a, 4/f, 5/c, 6/b

Ejercicio 5

1. Colombia

2. Panamá

3. Guatemala

Ejercicio 6

1. Vela

2. Pez

3. Pila

4. Vino

5. Falda

6. Sierra

7. Mango

Ejercicio 7

Constitución, constitucional, institución, noción, nación, título, costo, continuo, situación, nulidad, constancia, titulación, calidad, inconstancia, etc.

Bloque de ejercicios 9

Ejercicio 1

El toro, por los cachos.

Nadie sabe la sed con que otro bebe.

El que tiene boca se equivoca.

Nadie se muere la víspera.

Ejercicio 2

Flores	Hierbas	Especias
Violeta	Cebollín	Pimienta
Margarita	Perejil	Curry
Lirio	Albahaca	Cardamomo
Rosa	Eneldo	Cúrcuma
Hepática	Orégano	Nuez moscada

Ejercicio 5

N:
Natilla, naranja, nectarina, níspero, noni, nabo, nuez

A:
Avellana, almendra, arequipe, ajiaco, arepa, ají, aguacate, apio, ajo

H:
Haba, habichuela, helado, hamburguesa, huevo, higo, hojaldre, hierbas

R:
Remolacha, requesón, rábano, ruda, romero, rabadilla, raíces chinas

U:
Uva, uchuva

G:
Guacamole, gelatina, guayaba, guisante, guanábana

S:
Sancocho, salsas, sopa, sandía, sándwich, sushi

M:
Maíz, mejillones, melocotón, miel, milanesa, mondongo, mostaza

P:
Panela, plátano, papaya, pomarrosa, pera, pitahaya, piña, pizza

T:
Torta, tamal, taco, tomate, tocino, trigo

E:
Espinaca, ensalada, estofado, embutido, empanada, enchilada

L:
Lentejas, langosta, leche, lechona, limón, lengua en salsa, lulo, longaniza

Bloque de ejercicios 10

Ejercicio 2

Quien mal anda, mal acaba.
Año nuevo, vida nueva.

Las apariencias engañan.
Del árbol caído, todos hacen leña.

Esto no es soplar y hacer botellas.
Haz el bien sin mirar a quién.

El que busca, encuentra.
Por la boca muere el pez.

Ejercicio 3

Ciclomotor: es un medio de transporte con motor.

Kawasaki: es una marca de motocicletas.

Nuez moscada: no es una hierba y hay que rallarla.

Ejercicio 4

Solución: meteorología.

Ejercicio 5

Romeo y Julieta.

En el Vaticano.

Pantalón corto, corbata a la moda, sombrero encintado y chupa de boda.

Ásterix.

Serpientes en lugar de cabello.

Bloque de ejercicios 11

Ejercicio1

Ejercicio 2

Del árbol caído, todos hacen leña.

Haz el bien sin mirar a quién.

Más vale cabeza de ratón que cola de león.

Donde manda capitán no manda marinero.

Tanto va el cántaro a la fuente hasta que por fin se rompe.

Del dicho al hecho hay mucho trecho.

Ejercicio 3

Perro – cachorro
Pez – salmón
Bogotá – Monserrate
Diciembre – natilla
México – enchiladas
Aruba – mar Caribe
Romeo y Julieta – Shakespeare
Santa Marta – El Rodadero
Andersen – El patito feo
Tiburón – océano
Caloto – Cauca
Salzburgo – Mozart
Ternero – vaca
Monte Everest – Himalaya
Henri Dunant – Cruz Roja
Automóvil – escape
Luxor – Nilo
Australia – Queensland
Euro – dólar
Mozart – La flauta mágica
Mecánico – montacargas
Musulmán – Alá

Ejercicio 5

Madrigal

Ojos claros, serenos,

si de un dulce mirar sois alabados,

¿por qué, si me miráis, miráis airados?

Si, cuanto más piadosos,

más bellos parecéis a aquel que os mira,

no me miréis con ira,

porque no parezcáis menos hermosos.

¡Ay, tormentos rabiosos!

Ojos claros, serenos,

ya que así me miráis…, ¡miradme, al menos!

Solución ejercicio página 130

Finlandia

Bolivia

Holanda

Ejercicio 6

Ajiaco   Sancocho

Lechona   Cazuela de mariscos

Ejercicio 7

Laberinto, libro, legado, liceo, lienzo, ligero, lobezno, lógico, lucro, etc.

Bibliografía

H. Schloffer, M. Puck: Skriptum des Österr. BV f. Gedächtnistraining "Ausbildung zum/r GedächtnistrainerIn", Hallein 2004

Franziska Stengel: Gedächtnis spielend trainieren. Stuttgart 1993

Vera F. Birkenbihl: Das "neue" Stroh im Kopf? – Vom Gehirn-Besitzer zum Gehirn-Benutzer. 43. Auflage 2004

Tony Buzan/Wolfram Stanek: Memory Power. Die Gebrauchsanweisung für Ihr Gehirn. Augsburg 1998

Dominic O´Brien: Der einfache Weg zum besseren Gedächtnis. Múnich 2000

Katharina Turecek: Einmal gelernt – nie mehr vergessen. Viena 2004

Manfred Mantel: Effizienter Lernen. Múnich 1990

Marilyn vos Savant, Leonore Fleischer: Brain Building. Reinbek 1994

Manfred Spitzer: Lernen. Gehirnforschung und die Schule des Lebens. Spektrum Akademischer Verlag 2002

Manfred Spitzer: Geist im Netz. Modelle für Lernen, Denken und Handeln. Spektrum Verlag, Febrero 2000

Beck/Birkle: Der LernCoach – CD-ROM. 2004

Das will ich mir merken! – CD-ROM. 2006

U. Oppolzer: Verflixt, das darf ich nicht vergessen! Baden-Baden 2005

I. Klampfl-Lehmann: Der Schlüssel zum besseren Gedächtnis. Múnich 1986

H. Havas/B.-M. Mündemann: Powertraining für den Kopf. Múnich 2005

K. Gose/G. Levi: Wo sind meine Schlüssel? – Gedächtnistraining in der zweiten Lebenshälfte. Hamburgo 2003

A. Tiefenbacher: Gedächtnis trainieren. Múnich 2006

C. Buggy/J. Hancock: Effektives Gedächtnistraining in 7 Tagen. Landsberg/Lech 2000

D. Konnertz/C. Sauer: Lernspaß – fit in 30 Minuten. Offenbach 2000

Anagramas: revoltijo de letras

Procure recordar las letras en el orden en que aparecen.
Cada cuadrado de letras contiene el nombre de un país. Atención: es
obligatorio emplear todas las letras de cada cuadrado.

P	A	T
O	u	
L	G	R

Ejemplo: Solución: **PORTUGAL**

N	L	I
F	A	D
N	A	I

1.   Solución:_____

	L	A
I		O
V	B	I

2.   Solución:_____

H	A	A
	O	
N	D	L

3.   Solución:_____